인류를 구원하기 위한 하나님의 뜻
에스페란토와 함께 읽기

우리 주 예수의 삶

찰스 디킨스(Charles Dickens)지음
몬태규 버틀러 (Montagu C. Butler)
에스페란토 역
오태영(Mateno)옮김

우리 주 예수의 삶

인 쇄 : 2023년 1월 9일 초판 1쇄
발 행 : 2023년 1월 25일 초판 2쇄
지은이 : 찰스 디킨스(Charles Dickens)
에스페란토 역 : 몬태규 버틀러 (Montagu C. Butler)
옮긴이 : 오태영(Mateno)
펴낸이 : 오태영
출판사 : 진달래
신고 번호 : 제25100-2020-000085호
신고 일자 : 2020.10.29
주 소 : 서울시 구로구 부일로 985, 101호
전 화 : 02-2688-1561
팩 스 : 0504-200-1561
이메일 : 5morning@naver.com
인쇄소 : TECH D & P(마포구)

값 : 10,000원
ISBN : 979-11-91643-83-1(03230)

인류를 구원하기 위한 하나님의 뜻
에스페란토와 함께 읽기

우리 주 예수의 삶

찰스 디킨스(Charles Dickens)지음
몬태규 버틀러 (Montagu C. Butler)
에스페란토 역
오태영(Mateno)옮김

진달래 출판사

작가 소개

찰스 디킨스 : 잉글랜드의 작가. 빅토리아 여왕 시대에 활동한 영문학을 대표하는 대문호 중 한 명이다.

1824년 디킨스는 런던에 있는 구두약 공장에 취직했다. 19세기는 산업혁명으로 인해 자본주의가 발흥하고 있었던 시기로, 그 당시 영국은 번영했으나, 그 번영 뒤에는 빈곤과 열악한 노동환경이 있었다. 이러한 상황에서 디킨스는 힘들게 노동하면서 자본주의 사회의 모순을 경험했다. 이 때 경험한 것들은 작품의 주제가 되었으며, 거의 모든 소설에서 빈민이나 어려운 사람이 등장한다.

디킨스는 빈곤에서 벗어나기 위해 열심히 노력한 끝에, 1827년 변호사 사무소의 사환이 되었고 그 후 법원 속기사를 거쳐 신문기자가 되었다. 기자 생활을 하면서 여행을 많이 했는데, 이 시기에 여행을 하면서 풍부한 관찰력과 식견을 갖추게 되었다.

1836년 《보즈의 스케치》가 출판되면서 디킨스는 문단에 데뷔했다. 1837년 출판한 장편소설 《피크위크 클럽의 기록》은 뛰어난 유머로 큰 인기를 얻었고, 1838년 《올리버 트위스트》 역시 큰 인기를 얻으며 작가로서의 지위를 확립했다. 《니콜라스 니클비》, 《오래된 골동품 상점》, 《크리스마스 캐럴》 등 사회 밑바닥을 생생히 묘사하고 그러한 모순을 비판한 여러 작품으로 명성을 떨쳤다.

목 차

번역자의 말

『우리 주 예수의 삶』은 영국의 유명한 소설가 찰스 디킨스가 자녀를 위해 손으로 쓴 글인데 사후에 한참 지나 출판이 되었습니다.

정원조 명예회장(Puramo)님이 기증한다고 내 놓은 책에서 이것을 발견하고 기독교인인 저는 흥미를 느껴 바로 읽기 시작했습니다.

문체도 읽기 편해 쉽게 읽어나갔고 내용에서도 하나님에 대해, 예수님의 삶에 대해 더 잘 알게 되었습니다.

신앙인이라면 알아야 할 예수님의 살찢고 피흘려 대속하신 사랑을 소개하고 아울러 평화를 위해 일민족 이언어주의를 부르짖는 에스페란토 정신을 사랑하고 실천해 세계의 모든 사람이 예수님을 믿고 에스페란토를 통해 세계 속에서 다툼없이 평화와 행복을 같이 누리고 싶습니다.

제 인생의 두 기둥인 예수님과 에스페란토의 만남이 이 책에서 이루어져서 감사하고 이 책을 많은 사람이 읽고 좋은 시간을 갖기 바랍니다.

의미있는 출판이 됨에 하나님께 감사드리며 모든 독자의 가정에 하나님의 사랑이 함께 하길 소망합니다.

> 2023. 새해 수정재(水晶齋)에서
> 오태영(진달래 출판사 대표)

ANTAŬPAROLO de F-ino DICKENS

LA nuna libro, la lasta verko de Charles Dickens kiun oni eldonos, havas apartan intereson kaj celon, kiuj tute apartigas ĝin de ĉio cetera, kiun Dickens verkis.

Ekster la fakto de ĝia Dia Temo, manuskripto havas aparte personan rilaton al la romanisto, kaj estas ne tiom malkaŝo de lia menso, kiom tributo al lia koro kaj homaraneco, kaj ankaŭ, kompreneble, al lia profunda amo al nia Sinjoro.

Li verkis ĝin en 1849, dudek unu jarojn antaŭ sia morto, speciale por siaj infanoj.

La simpla manuskripto estas tute mane skribita, kaj estas neniel polurita, sed nur spontana malneto. Por konservi ĝian personecon, oni sekvis la manuskripton fidele en ĉiu detalo.

Charles Dickens ofte diris al siaj infanoj la evangelian historion, kaj citis la Dian ekzemplon en siaj leteroj al ili.

Ĉi tiu vivo de nia Sinjoro estis verkita sen penso pri eldoniĝo, por ke lia familio posedu la pensojn de sia patro en daŭra formo.

Post lia morto, la manuskripto restis la proprajo de lia bofratino, F-ino Georgino Hogarth. Je ŝia morto en 1917 ĝi transiris en la manojn de Sir Henry Fielding Dickens.

Charles Dickens ne lasis dubon, ke li verkis La Vivon de Nia Sinjoro en formo, kiun li opiniis plej konvena por liaj infanoj, kaj ne por publikigo. Lia filo Sir Henry ne volis eldoni la verkon, dum li mem vivis; sed li vidis nenian kialon, ke oni ne eldonu ĝin post lia morto.

La testamento de Sir Henry rajtigis, ke se la plimulto el lia familio tion konsentos, La Vivo de Nia Sinjoro doniĝu al la mondo. Ĝi estis unue eldonita, en felietona formo, en Marto 1934.

Marie Dickens

Aprilo 1934..

디킨스 양의 서문

찰스 디킨스의 마지막 작품인 이 책은 디킨스가 저술한 나머지 책들과 완전히 분리되는 특별한 애정과 목적을 가지고 있습니다.

신성한 주제라는 사실 외에도 원고는 소설가와 특별한 개인적인 관계를 가지고 있으며 그의 마음과 인간성, 물론, 우리 주님에 대한 그의 깊은 사랑을 충분히 드러낸 것은 아닙니다.

그는 죽기 21년 전인 1849년에 특히 자녀들을 위해 이 책을 썼습니다.

단순히 원고는 완전히 손으로 작성되었으며 교정하지 않고 그대로의 초고입니다.

개성을 살리기 위해 원고를 세세한 부분까지 충실히 따랐습니다.

찰스 디킨스는 종종 자녀들에게 복음 이야기를 들려주었고 그들에게 보낸 편지에서 하나님의 사례를 인용했습니다.

『우리 주 예수의 삶』은 출판의 의도 없이 기록되었으며 그의 가족이 그들 아버지의 생각을 영속적인 형태로 소유할 수 있도록 하셨습니다.

그가 죽은 후에도 원고는 그의 처제인 조지나 호가스 양의 재산으로 남아 있었습니다. 1917년 그녀가 사망하자 그것은 헨리 필딩 디킨스 경의 손에 넘어갔습니다.

찰스 디킨스는 출판용이 아니라 자녀들에게 가장 적합하다고 생각하는 형식으로 『우리 주 예수의 삶』을 썼다는 점에 의심의 여지가 없습니다. 그의 아들인 헨리 경은 자신이 살아 있는 동안 그 작품을 출판하기를 원하지 않았습니다. 그러나 그는 그의 사후에 출판되지 않아야 할 이유를 찾지 못했습니다.

헨리 경의 유언은 가족의 대다수가 동의하면 『우리 주 예수의 삶』이 세상에 주어져야 한다는 것을 승인했습니다. 그것은 1934년 3월에 연재 형식으로 처음 출판되었습니다.

마리 디킨스

1934년 4월

ANTAŬPAROLO AL LA ESPERANTA ELDONO

TIU ĉi laste eldonita verko de la mondfama angla aŭtoro certe havos intereson por la Esperantistaro. Mi penis konservi la simplan stilon kaj la signifon de la angla originalo. Mi ne korektis erarojn, kiujn sendube Dickens mem estus korektinta, se li estus preparinta la verkon por eldono.

La Tradukinto.

에스페란토판 서문

세계적으로 유명한 영국 작가가 마지막으로 출판한 이 작품은 확실히 에스페란토 공동체의 관심을 끌 것입니다. 단순한 문체와 영어 본래의 의미를 살리기 위해 노력했습니다. 나는 디킨스가 출판을 위해 준비했다면 틀림없이 수정했을 오류조차도 수정하지 않았습니다.

번역가.

LA UNUA ĈAPITRO

MIAJ KARAJ INFANOJ, Mi tre deziras, ke vi sciu ion pri la historio de Jesuo Kristo. Ĉiu devus scii pri li. Neniam vivis iu ajn, kiu estis tiel bona, tiel afabla, tiel bonkora, kaj tiel plena de kompato, kiel estis li, por ĉiu kiu estas malbona aŭ iumaniere malsana aŭ malfeliĉa. Kaj ĉar li estas nun en la ĉielo, kien ni ĉiuj esperas iri, kaj renkonti unu alian post la morto, kaj tie esti feliĉaj ĉiam kune, vi neniam povos kompreni, kia bona loko la ĉielo estas, se vi ne scios, kiu li estis, kaj kion li faris.

LI estis naskita antaŭ longa, longa tempo – antaŭ preskaŭ du mil jaroj – en loko nomita Bet-Leĥem. Lia patro kaj lia patrino loĝis en urbo nomita Nazareto, sed ili devis vojaĝi al Bet-Leĥem pro aferoj. La nomo de lia patro estis Jozef, kaj la nomo de lia patrino estis Maria. La urbo estis tre plena de homoj, kiuj ankaŭ devis iri tien pro aferoj. Pro tio, ne estis loko por Jozef kaj Maria en la gastejo aŭ en iu ajn domo; do ili iris al stalo, por loĝi, kaj en tiu stalo naskiĝis Jesuo Kristo.

제1장   예수님의 성탄

사랑스런 나의 아이들아.

나는 너희가 예수 그리스도의 역사를 무엇이라도 알았으면 무척 좋겠구나.

우리는 모두 그분을 알아야한단다.

나쁜 사람, 어떤 식으로든 아픈 사람, 불행한 모든 사람에게 그분처럼 착하고 친절하며 너그러움이 가득 한 분은 어느 시대에나 산 적이 없었어.

지금 그분은 우리가 가기를 소망하는 곳, 바로 천국에 계신단다. 그곳은 우리가 죽어서 모두 만날 수 있고, 또 모두 함께 살면서 언제나 행복을 누리는 곳이지. 그분이 어떠한 사람인지, 또한 그분이 어떠한 일을 했는지 모르고는 천국이 얼마나 좋은 곳인지 너희는 절대 알 수 없을 거야.

그분은 아주 오래 전, 그러니까 2천 년 전쯤 베들레헴이라는 곳에서 태어나셨어. 그분의 아버지와 어머니는 나사렛이라는 마을에 살았는데, 베들레헴이라는 도시로 여행을 떠나야 할 일이 생겼단다. 그분의 아버지 이름은 요셉이었고 어머니 이름은 마리아였어.

시내는 그분 부모님처럼 일이 있어 온 사람들로 북적였지. 그래서 요셉과 마리아는 여관이든 가정집이든 묵을 만한 곳을 찾지 못했단다.

그들은 하는 수 없이 마구간이라도 가야 했어.

이 마구간에서 예수 그리스도가 태어나셨지.

Estis tie neniu lulilo aŭ io ajn simila, do Maria kuŝigis sian belan infanon en io, kion oni nomas trogo - tio estas la loko, el kiu la bestoj manĝas. Kaj tie li ekdormis.

Dum li dormis, kelkaj paŝtistoj, gardante ŝafojn sur la kamparo, vidis anĝelon de Dio, tute luman kaj belan, kiu venis al ili sur la herbo. Unue ili timis, kaj kuŝis tere kaj kaŝis la vizaĝojn. Sed li diris: "Ne timu. Infano naskiĝis hodiaŭ tute apude en la Urbo Bet-Leĥem. Kiam li kreskos, li estos tiel bona, ke Dio amos lin kiel sian propran filon. Li instruos al la homoj, ke ili amu unu alian, kaj ke ili ne malpacu, aŭ difektu unu alian. Lia nomo estos Jesuo Kristo; kaj la homoj metos tiun nomon en siajn preĝojn, ĉar ili scios, ke Dio amas ĝin, kaj ke ankaŭ ili devas ami ĝin".

Kaj tiam la anĝelo diris al la paŝtistoj, ke ili iru al tiu stalo, kaj rigardu la infaneton en la trogo. Do ili tion faris; kaj ili genuis apud ĝi, dum li dormis ; kaj diris "Dio benu tiun infanon!"

Nu, la granda loko en tiu tuta lando estis Jerusalem - ĝuste kiel Londono estas la granda loko en Anglujo. En Jerusalem loĝis la reĝo, nomita Reĝo Herodo.

그곳에는 요람이 없는 것은 말할 것도 없고 그와 비슷한 것조차 없었어. 마리아는 예쁜 아기를 짐승이 먹는 여물을 담아두는 구유라는 데 눕혔단다. 그곳에서 아기는 잠이 들었지.

그분이 잠자고 있는 사이, 들에서 양떼를 치던 목자 몇 사람은 하나님이 보낸 천사를 보았는데, 무척 밝고 아름다운 천사가 풀밭을 지나 자신들에게 다가왔단다. 처음에 그들은 두려워서 땅에 엎드려 얼굴을 숨겼지.

천사가 말했어.
"두려워 말라. 이 근처 베들레헴 시내에서 오늘 한 아기가 태어났노라. 그분은 자라나서 매우 착하여, 하나님이 친아들로 여겨 사랑할 것이니라. 그분은 사람들에게 서로 사랑하고 다투지 말고 서로 해치지 말라고 가르치실 것이니라. 그분의 이름은 예수 그리스도이며, 사람들은 기도하면서 그 이름을 부르게 될 것이니라. 이는 하나님께서 그 이름을 사랑하시고, 또한 그들도 그 이름을 사랑하여야 함을 알게 될 것이기 때문이니라."
그런 뒤 천사는 목자들에게 마구간으로 가서 구유에 누운 꼬마 아기를 보라고 했지. 그들은 그렇게 했어. 그들은 잠든 그분 옆에 무릎꿇고 앉아 말했단다.
"하나님, 이 아기에게 은총을 내리소서."
영국에서 가장 큰 도시가 런던이듯, 그 즈음 그 나라에서 가장 큰 도시는 예루살렘이었어. 예루살렘 성에 살고 있는 왕의 이름은 헤롯이었지.

Unu tagon kelkaj saĝuloj venis el tre malproksima lando en la oriento, kaj diris al la reĝo: "Ni vidis stelon en la ĉielo, kaj tio instruis al ni, ke en Bet-Leĥem naskiĝis infano, kiu fariĝos viro kiun amos ĉiuj homoj". Kiam reĝo Herodo aŭdis tion, li estis ĵaluza, ĉar li estis viro malbona. Sed li kaŝis la ĵaluzon, kaj diris al la saĝuloj "Kie estas tiu infano?" La saĝuloj diris : "Ni ne scias. Sed ni kredas, ke la stelo montros tion al ni, ĉar ĝi moviĝis antaŭ ni la tutan vojon ĉi tien, kaj nun ĝi staras senmova sub la ĉielo". Tiam Herodo petis, ke ili esploru, ĉu la stelo montros al ili la lokon, kie la infano loĝas; kaj li ordonis, ke se ili trovos la infanon, ili revenu al li. Do ili eliris, kaj la stelo iris antaŭen, super iliaj kapoj, ĝis ĝi haltis super la domo en kiu estis la infano. Tio estis afero tre miranda, sed Dio ordonis, ke okazu tiel.

Kiam la stelo haltis, la saĝuloj eniris, kaj vidis la infanon kun Maria lia patrino. Ili amis lin tre multe, kaj faris al li donacojn. Tiam ili foriris. Tamen ili ne reiris al Reĝo Herodo, ĉar ili divenis, ke li estas ĵaluza, kvankam li ne diris tion. Do en la nokto ili foriris al sia propra lando denove.

어느 날, 아주 먼 동방 나라에서 박사들이 찾아와 왕에게
말했단다.

"우리는 하늘에서 별을 하나 보았습니다. 그 별은 베들레
헴에서 한 아기가 태어나고 자라나서 모든 사람의 사랑을
받는 사람이 될 거라고 가르쳐주었습니다."

헤롯왕은 무척 나쁜 사람이었기에 이 말을 듣고 심하게 질
투했지. 그러나 왕은 그런 내색을 하지 않으면서 박사들에
게 '그 아기가 어디에 있는가?'하고 물었어.

그러자 박사들이 대답했지.

"우리는 모릅니다. 하지만 그 별이 우리에게 가르쳐줄 것
입니다. 그 별은 계속 우리를 이끌어 여기까지 왔고, 지금
은 하늘에 가만히 떠 있습니다."

헤롯왕은 그들에게 아기가 사는 곳을 그 별이 알려주어 그
아기를 보게 되거든 되돌아와 보고하라고 명령했지. 그들
이 밖으로 나오자 별은 그들의 머리 위에서 그들을 인도하
며 다시 움직이더니 아기가 있는 집에서 멈추었어. 이것은
매우 신비한 일이었지만, 하나님이 그렇게 되도록 하신 거
란다.

별이 멈추어 서자 박사들은 마구간 안으로 들어가 아기와
그 어머니를 보았어. 그들은 그분이 너무 사랑스러워서 선
물을 몇 가지 드리고는 길을 떠났지. 하지만 그들은 헤롯
왕에게 되돌아가지 않았단다. 왕이 말은 안했지만, 시샘이
많다고 생각했기 때문이지. 그들은 밤에 길을 떠나 자기네
나라로 돌아가버렸단다.

Kaj anĝelo venis, kaj diris al Jozef kaj Maria, ke ili prenu la infanon en landon nomitan Egiptujo, ĉar alie Herodo lin mortigos. Do ili eskapis en la nokto - la patro, la patrino, kaj la infano - kaj alvenis tien sendifekte.

Sed kiam la Kruela Herodo trovis, ke la saĝuloj ne revenos al li, kaj ke li ne povas eltrovi de ili, kie loĝas la infano Jesuo Kristo, li vokis siajn soldatojn kaj kapitanojn, kaj ordonis, ke ili iru kaj mortigu ĉiujn infanojn en la lando, kiuj ankoraŭ ne estas dujaraj. La pekaj viroj tion faris. La patrinoj de la infanoj kuris tien-reen sur la stratoj kun la infanoj en la brakoj, penante ilin savi, kaj kaŝi ilin en kavernojn kaj kelojn - sed vane. Per siaj glavoj la soldatoj mortigis ĉiun infanon, kiun ili povis trovi.

Oni nomas tiun teruran murdon la Murdo de la Senpekuloj, ĉar la infanetoj estis tiel senpekaj.
Reĝo Herodo esperis, ke Jesuo Kristo estos unu el la infanoj mortigitaj. Sed, kiel vi scias, li ne estis mortigita, ĉar li jam eskapis en Egiptujon, kaj tie estis sen danĝero. Kaj li loĝis tie kun sia patro kaj patrino, ĝis mortis la malbona Reĝo Herodo.

그뒤 한 천사가 내려와 요셉과 마리아에게 아기를 데리고 애굽(이집트)이라는 나라로 가라고 말했어. 그렇게 하지 않으면 헤롯왕이 그분을 죽일 것이기 때문이란다. 그리하여 그들 셋 – 아버지와 어머니와 아기 – 은 밤에 안전하게 탈출해 그 나라에 도착했지.

한편 무자비한 헤롯왕은 박사들이 되돌아오지 않자 아기 예수 그리스도가 사는 곳을 알아낼 수 없다고 판단하고 병사들과 그 대장을 불렀단다. 그러고는 자신의 왕국에 사는 두 살이 안 되는 아기들을 모두 죽이라는 명령을 내렸어. 그 악한 사람들은 명령대로 했지.

아기 어머니들은 아기를 품에 안고 거리로 나와 펄쩍펄쩍 뛰면서 아기를 살리려 하기도 하고, 동굴이나 움막에 아기를 숨기기도 했단다.
하지만 아무 소용이 없었어.
병사들은 아기들을 모조리 찾아내어 칼로 베어 죽였단다. 아기들은 순결하고 죄가 없기 때문에, 이 끔찍한 살인을 두고 사람들은 '죄 없는 아이들의 학살'이라고 불렀지.

헤롯왕은 학살한 아기들 가운데 예수 그리스도가 있기를 바랐어. 그러나 너희도 알다시피 그분은 이집트로 안전하게 피신했기 때문에 그 가운데 있지 않았지. 그분은 아버지, 어머니와 함께 나쁜 헤롯왕이 죽을 때까지 그곳에서 살았단다.

LA DUA ĈAPITRO

KIAM Reĝo Herodo mortis, anĝelo venis al Jozef denove, kaj diris, ke nun li povas iri al Jerusalem sen timo pri la infano. Do Jozef kaj Maria, kaj ŝia filo Jesuo Kristo (oni ordinare nomas ilin La Sankta Familio), ekvojaĝis Jerusalemen. Sed sur la vojo ili aŭdis, ke la nova reĝo estas la filo de Reĝo Herodo; kaj timante, ke ankaŭ li deziros mortigi ilian infanon, ili devojiĝis, kaj iris por loĝi en Nazaret. Ili loĝis tie, ĝis Jesuo Kristo havis dek du jarojn.

Tiam Jozef kaj Maria iris al Jerusalem por ĉeesti religian feston tie en la Templo(tio estis granda preĝejo aŭ katedralo), kaj ili prenis Jesuon Kriston kun si. Kaj kiam la festo estis finita, ili vojaĝis for de Jerusalem, ree al sia hejmo en Nazaret, kun multaj amikoj kaj najbaroj. En tiu tempo estis kutime vojaĝi kune en granda amaso, pro timo al rabistoj : ĉar tiam la vojoj ne estis tiel sendanĝeraj kaj bone gardataj, kiel nun; kaj vojaĝi estis multe pli malfacile, ol ĝi estas nun.

Ili vojaĝadis dum tuta tago, kaj ne sciis, ke Jesuo Kristo ne estas kun ili.

제2장 　침례 요한

헤롯왕이 죽자 한 천사가 다시 요셉에게 내려와 이제 예루
살렘 성으로 가도 좋다고 하면서 아기 걱정은 하지 않아도
된다고 말했단다.

요셉과 마리아는 아들 예수 그리스도(흔히 이 가족을 '성가
족'이라고 부른단다)를 데리고 예루살렘 성을 향해 길을 나
섰어.

그 도중에 그들은 헤롯왕의 아들이 새 왕이 되었다는 소식
을 들었지.

그들은 새로운 왕도 아기들에게 해를 입힐까봐 그곳으로
가지 않고 나사렛으로 갔어.

그들은 예수 그리스도가 열두 살이 될 때까지 그곳에서 살
았단다.

그후 요셉과 마리아는 당시 커다란 교회나 성당 같은 예루
살렘의 성전에서 치러지던 종교 행사에 참석하려고 예루살
렘 시내로 갔어.

물론 예수 그리스도도 데려갔지, 행사가 끝나자 그들은 예
루살렘 성을 떠나 많은 친구와 이웃과 함께 나사렛 집으로
돌아갔단다.

그때는 강도를 만날까봐 많은 사람이 모여 함께 여행을 떠
나곤 했지.

여행길은 요즘처럼 안전하지 못했고, 여행하는 것 자체도
요즘보다 훨씬 위험했어.

하루종일 걸어가던 요셉과 마리아는 예수 그리스도가 없어
진 것도 몰랐단다.

Tiom da personoj vojaĝis kune kun ili, ke kvankam ili ne vidis lin, ili supozis, ke li estas ie en la amaso. Sed kiam ili trovis, ke li ne estas tie, kaj timante, ke li perdiĝis, ili reiris al Jerusalem tre maltrankvilaj, por lin serĉi. Ili trovis lin sidanta en la Templo, parolanta kun kleraj homoj nomitaj Doktoroj pri la boneco de Dio, kaj pri nia devo preĝi al li. Ili ne estis la homoj, kiujn vi komprenas per la vorto 'doktoroj' nuntempe, ĉar ili ne kuracis malsanulojn ; ili multe studis kaj estis tre lertaj. Kaj per tio, kion li diris al ili, kaj per la demandoj, kiujn li faris al ili, Jesuo montris tiom da scio, ke ili ĉiuj miris.

Kiam Jozef kaj Maria trovis lin, li iris hejmen kun ili al Nazaret, kaj li loĝis tie, ĝis li havis tridek aŭ tridek kvin jarojn.

EN tiu tempo vivis tre bona viro nomita Johano. Li estis la filo de virino nomita Elizabeto - la kuzino de Maria. Kaj ĉar multe da homoj estis pekaj, kaj koleremaj, kaj mortigis unu alian, kaj forgesis sian devon al Dio, Johano iradis tra la lando por instrui al ili pli bonan konduton, predikante al ili, kaj petegante, ke ili estu pli bonaj.

그분이 보이지 않았지만 같이 떠나는 사람들이 워낙 많아서 다른 사람들 틈 어딘가에 있겠지, 하고 생각했어. 그러나 아무리 찾아봐도 그분의 모습이 보이지 않자 뒤늦게야 찾으러 다시 예루살렘 성으로 돌아갔단다.

그들은 성전에 앉아 있는 그분을 발견하게 되었지. 그때 그분은 선생(rabbi) 몇 사람과 함께 하나님의 선함에 대하여, 그리고 하나님에게 어떻게 기도를 올려야 하는지에 관해 이야기를 나누고 있었어.

그 사람들은 너희가 요즈음 알고 있는 '박사(doctor)'와는 다른 사람들이었지. 그 사람들은 학자이거나 현명한 사람들을 의미한단다.
예수 그리스도는 말하고 질문하는 속에서 너무나 지식이 많음을 보여주었고, 그 사람들은 모두 무척 놀랐지.
그분을 찾은 요셉과 마리아는 함께 고향 나사렛으로 돌아갔어. 그분은 서른 살인가, 서른다섯 살이 될 때까지 그곳에서 살았단다.

그 즈음 그곳에는 요한이라는 아주 선한 사람이 살고 있었어. 그는 엘리사벳이라는 여인의 아들이었고, 엘리사벳은 마리아의 사촌언니였지. 그때 사람들은 사악하고 난폭했으며 서로를 죽이는 일이 많았어. 물론 하나님을 경배하는 의무도 잊고 있었지. 그래서 요한은 사람들에게 좀더 좋은 사람이 되라고 간청하고 더 착하게 살라고 그들에게 설교하고 가르치면서 다녔단다.

Kaj ĉar li amis ilin pli ol sin mem, kaj faradis bonon al ili, ne atentante pri si mem, li portis malriĉan veston el kamelaj haroj, kaj manĝis malmulte krom kelkaj insektoj nomitaj akridoj, kiujn li trovis dum li vojaĝis, kaj sovaĝa mielo, kiun la abeloj lasis en la truoj de arboj.

Vi neniam vidis akridojn, ĉar ili apartenas al tiu malproksima lando apud Jerusalem. Tio estas vera pri kameloj ankaŭ ; tamen mi kredas, ke vi vidis kamelon. Ĉiuokaze, oni kelkafoje venigas ilin ĉi tien, kaj se vi deziras vidi kamelon, mi montros unu al vi.

ESTIS rivero, ne tre malproksime de Jerusalem, nomita la rivero Jordan; kaj en ĝia akvo Johano baptis ĉiun, kiu venis al li kaj promesis konduti pli bone. Tre multaj iris al li amase. Jesuo Kristo iris ankaŭ. Sed kiam Johano vidis lin, Johano diris "Kial mi baptu vin? Vi estas multe pli bona ol mi". Jesuo Kristo respondis "Lasu, ke estu tiel". Do Johano baptis lin. Kaj kiam li estis baptita, la ĉielo malfermiĝis, kaj bela birdo kvazaŭ kolombo flugis malsupren, kaj la voĉo de Dio el la ĉielo diris "Ĉi tiu estas mia filo, la amata, en kiu mi havas plezuron!"

그는 다른 사람들을 자신보다 더 사랑했고, 사람들에게 착한 일을 베풀 때면 자신을 돌보지 않았어. 그는 낙타가죽으로 만든 허름한 옷을 입었고, 여행하다가 메뚜기라는 작은 곤충들을 잡아먹거나 구멍 뚫린 나무에 벌들이 남기고 간 석청꿀 외에는 아무것도 먹지 않았지.

너희는 메뚜기를 한 번도 보지 못했을 텐데, 그것들이 여기서 멀리 떨어진 예루살렘 근처의 마을에 살기 때문이지. 낙타도 마찬가지야. 아니, 너희는 낙타를 본 적이 있겠구나. 아무튼 사람들은 이따금씩 그것들을 이리로 데려오니까말이야. 너희가 보고 싶다면 내가 보여주마.

예루살렘 성에서 멀지 않은 곳에 요르단 강이 있었어. 그 강물에서 요한은 자신을 찾아와 더 착해지겠다고 약속하는 사람들에게 침례를 해주었는데, 사람들이 구름처럼 몰려들었단다.
예수 그리스도도 가셨지.
요한은 그분을 보더니 '왜 제가 당신에게 침례를 드려야 합니까? 당신은 저보다 훨씬 선한 분이십니다'라고 말했어. 이에 예수 그리스도가 대답하시기를 '이제 허락하라'고 하니 요한은 그분에게 침례를 해주었단다.
그분이 침례를 받자 하늘이 열리면서 비둘기처럼 생긴 아름다운 새가 날아 내려왔어.

그러고는 하늘에서 하나님의 목소리가 들려왔지.
"이 사람은 내가 사랑하는 아들이오, 기뻐하는 자니라."

Jesuo Kristo tiam iris en sovaĝan kaj solecan lokon, nomitan la dezerto. Li restis tie kvardek tagojn kaj kvardek noktojn, preĝante, ke li estu helpa al la homoj, kaj instruu al ili vivi pli bone, tiel ke post la morto ili estu feliĉaj en la ĉielo.

KIAM li venis el la dezerto, li komencis kuraci malsanulojn, nur metante la manon sur ilin; ĉar Dio donis al li la povon kuraci malsanulojn, kaj doni vidon al blinduloj, kaj fari multe da mirindaj kaj solenaj aferoj, pri kiuj mi poste diros al vi pli multe. Oni nomas ilin La Mirakloj de Kristo. Mi petas, ke vi memoru tiun vorton, ĉar mi uzos ĝin denove. Ĝi signifas ion, kiu estas tre mirinda, kaj kiu ne estus farebla sen la permeso kaj la helpo de Dio.

Jesuo Kristo faris sian unuan miraklon ĉe loko nomita Kana, kie li ĉeestis edziĝan festenon kun sia patrino Maria. Oni ne havis vinon, kaj Maria tion diris al li. Estis tie nur ses akvo-kuvoj el ŝtono, plenaj de akvo. Sed Jesuo ŝanĝis tiun akvon en vinon, nur levante sian manon; kaj ĉiu, kiu estis tie, trinkis ĝin.

Dio donis al Jesuo Kristo la povon fari tiajn mirindaĵojn.

- 26 -

그뒤 예수 그리스도는 거칠고 쓸쓸한 광야로 들어가셔서 40일 낮과 밤을 그곳에서 머물렀어.

그분은 그곳에서 자신이 사람들에게 필요한 인물이 되도록, 사람들이 죽은 뒤에는 천국으로 올라가 행복하게 살 수 있는 착한 사람들이 되게 가르치도록 기도했지.

광야에서 나온 뒤, 그분은 병든 사람들에게 손을 대는 것만으로 치료하기 시작했단다. 하나님께서 그분에게 아픈 사람을 치료하고 눈먼 사람을 볼 수 있게 해주는 등 놀랍고 진귀한 일들을 할 수 있는 능력을 많이 주셨기 때문이지. 앞으로도 차차 이야기가 나올 테지만, 사람들은 이를 두고 '그리스도의 기적'이라고 말한단다.

너희가 이 말을 꼭 기억하면 좋겠구나. 이 말은 다시 나오게 되겠지만, 매우 놀라운 어떤 일 또는 하나님의 허락이나 도움 없이는 일어날 수 없는 어떤 일들을 뜻한다는 것을 알아두어라.

예수 그리스도가 행한 첫 번째 기적은 어머니 마리아와 함께 결혼 잔치에 참석하러 간 가나라는 곳에서였지. 포도주가 다 떨어지자, 이런 사정을 마리아는 그분에게 이야기했지. 그곳에 물이 가득 담긴 항아리가 여섯 개 있었는데, 예수께서 손을 드는 것만으로 물이 모두 포도주로 변해버렸어. 그래서 그곳에 있던 모든 사람이 포도주를 마셨지. 하나님이 예수 그리스도에게 그러한 기적을 일으킬 능력을 주셨던 거야.

Li faris ilin, por ke oni sciu, ke li ne estas ordinara homo, kaj ke oni kredu tion, kion li instruis al ili, kaj kredu ankaŭ, ke Dio lin sendis. Kaj multaj personoj, aŭdinte pri la afero, kaj aŭdinte, ke li kuracas la malsanulojn, efektive komencis kredi je li; kaj grandaj homamasoj sekvis lin surstrate kaj survoje, kien ajn li iris.

그분이 보통사람이 아니라는 걸 알고 그분의 가르침과 하나님이 그분을 보냈다는 사실을 믿게 하려고 그분이 기적을 행했지. 이러한 이야기와 그분이 아픈 사람을 고쳐주었다는 소문을 들은 많은 사람들은 그분을 믿기 시작했고, 그분이 가는 곳이라면 거리든 길이든 사람들이 구름처럼 몰려들어 그분을 뒤따랐지.

LA TRIA ĈAPITRO

POR ke kelkaj bonaj homoj iradu kun li, instruante la homojn, Jesuo Kristo elektis dek du malriĉajn virojn, ke ili estu liaj kunuloj. Tiujn dek du oni nomas la Apostoloj (aŭ Disciploj). Li elektis ilin el inter homoj malriĉaj, por ke la malriĉuloj sciu - ĉiam poste, en ĉiuj jaroj venontaj -, ke la ĉielo estas por ili egale kiel por la riĉuloj, kaj ke Dio faras nenian diferencon inter tiu, kiu portas bonan vestaĵon, kaj tiu, kiu iradas nudpiede kaj en ĉifonaĵoj. La plej mizeraj homoj - la plej malbelaj, misformaj, kaj malfeliĉaj - estos helaj anĝeloj en la ĉielo, se ili estas bonaj ĉi tie sur la tero. Neniam forgesu tion, kiam vi fariĝos viroj kaj virinoj. Neniam agu malhumile aŭ kruele, miaj karaj, kontraŭ iu ajn malriĉa viro, virino, aŭ infano. Se ili estas malbonaj, memoru, ke ili estus pli bonaj, se ili estus havintaj amantajn amikojn kaj bonajn hejmojn, kaj estus pli bone instruitaj. Do ĉiam penu fari ilin pli bonaj per afablaj persvadaj vortoj; kaj ĉiam instruu kaj helpu ilin, se vi povas tion fari.

제3장   열두 제자

그분과 함께 다니면서 사람들을 가르치는 훌륭한 사람들이 있었는데, 예수 그리스도가 일행으로 삼기 위해 선택한 열두 명의 가난한 사람들이 그들이다. 사람들은 이들을 '12사도' 또는 '열두 제자'라고 부른다. 그분은 가난한 사람들 가운데서 이들을 뽑았는데, 거기에는 이유가 있었다. 천국이 부자뿐 아니라 가난한 사람들을 위해서 만들어졌다는 것과, 하나님은 좋은 옷을 입은 사람이든 맨발에 누더기 옷을 걸친 사람이든 차별하지 않는다는 것을 가난한 사람들에게 알리기 위한 것이란다. 아무리 불쌍한 사람이라도, 아무리 못생기고 추하게 생겨 소외된 사람이라도 이 세상에서 착하게 살았다면 천국에서는 밝은 모습의 천사가 될 수 있단다. 커서 어른이 되더라도 결코 이 사실을 잊지 말아라.

사랑하는 나의 아이들아, 남자든 여자든 어린이든 가난한 사람 앞에서는 절대 오만하거나 불친절하게 대하지 말아라. 비록 나쁜 사람이라 하더라도 그 사람에게 친절한 친구나 좋은 집이 있었고, 좀더 나은 교육을 받았다면 착한 사람들이 되었을 거라고 생각하여라. 그렇듯이 언제나 친절하게 타이르는 말로써 그들을 좀더 착한 사람이 되게 만들려고 노력하여라. 또 할 수 있는 한 늘 그들을 가르치고 도와주어라.

Kiam oni parolas malafable pri la malriĉaj kaj malfeliĉaj, memoru, kiel Jesuo Kristo iradis inter ili kaj instruis ilin, kaj opiniis ilin indaj je lia zorgo. Ĉiam kompatu ilin, kaj pensu pri ili kiel eble plej bone.

La nomoj de la dek du Apostoloj estis Simon Petro, Andreo, Jakobo la filo de Zebedeo, Johano, Filipo, Bartolomeo, Tomaso, Mateo, Jakobo la filo de Alfeo, Tadeo, Simon, kaj Judas Iskariota. Ĉi tiu lasta perfidis Jesuon Kriston. Sed pri tio vi legos poste.

LA unuaj kvar el tiuj dek du estis malriĉaj fiŝkaptistoj. Ili sidis en siaj ŝipetoj apud la maro, riparante siajn retojn, kiam Jesuo Kristo venis apud ili. Li haltis, kaj iris en la ŝipeton de Simon Petro, kaj demandis al li, ĉu li kaptis multajn fiŝojn. Petro diris: "Ne. Kvankam ni laboris la tutan nokton per niaj retoj, ni kaptis nenion". Kristo diris "Mallevu la reton denove". Ili tion faris; kaj la reto estis tuj tiel plena de fiŝoj, ke necesis la forto de multaj viroj (kiuj venis kaj helpis ilin), por ĝin levi el la akvo; kaj eĉ tiam tio estis tre malfacila. Tio estis alia el la mirakloj de Jesuo Kristo.

사람들이 가난하고 불쌍한 사람들을 나쁘게 말할 때는 예수 그리스도가 어떻게 하여 그들 속으로 들어가 가르쳤는지, 또한 그분이 그들을 얼마나 돌볼 가치가 있다고 여겼는지를 생각하여라.

너희 스스로가 언제나 그들을 불쌍히 여기고, 너희가 할 수 있는 만큼 그들을 좋게 생각하도록 하여라.

12사도의 이름은 시몬 베드로와 안드레, 세베대의 아들 야고보와 요한, 빌립, 바돌로매, 도마, 마태, 알패오의 아들 야고보와 다대오, 시몬, 그리고 가룟 유다야. 앞으로 차츰 이야기하겠지만, 마지막 사람이 예수 그리스도를 배신했단다.

이들 가운데 처음 네 사람은 가난한 어부로, 그들은 그리스도가 옆을 지날 때 호숫가의 자기네 배에 앉아 그물을 고치고 있었지.

그분은 가던 걸음을 멈추고 시몬 베드로의 배로 올라가 고기를 많이 잡았는지 물어보았어.

베드로는 밤새도록 그물질을 했지만 아무것도 잡지 못했다고 대답했단다.

예수께서 베드로에게 '다시 그물을 내려라' 하고 말했지. 그들이 시키는 대로 하자 그물에는 금방 고기로 가득 찼어. 얼마나 고기가 많았던지 그물을 물 밖으로 꺼낼 수가 없었고, 다른 배에 있던 사람들까지 와서 함께 끌어올렸는데도 힘이 들 정도였지. 이 일도 예수 그리스도가 일으킨 기적 중 하나지.

Jesuo tiam diris "Venu kun mi!" kaj ili tuj sekvis lin. De tiu tempo la dek du disĉiploj aŭ apostoloj ĉiam estis kun li.

ĈAR grandaj homamasoj sekvis lin, kaj deziris esti instruataj, li supreniris sur monton, kaj tie li parolis al ili, kaj el siaj propraj lipoj donis al ili la vortojn de la preĝo kiu komenciĝas "Patro nia, kiu estas en la ĉielo", kiun vi diras ĉiunokte.

Oni nomas ĝin la Preĝo de la Sinjoro, ĉar Jesuo Kristo estas la unua, kiu ĝin diris, kaj ĉar li ordonis al siaj disĉiploj, ke ili preĝu per tiuj vortoj.

Kiam li venis malsupren de la monto, venis al li viro suferanta de terura malsano nomita lepro. Ĝi estis malsano ofta en tiu tempo; kaj tiujn, kiuj suferis de ĝi, oni nomis lepruloj. Tiu leprulo genuis ĉe la piedoj de Jesuo Kristo, kaj diris "Sinjoro! Se vi nur volas, vi povas min sanigi". Jesuo, ĉiam plena de kompato, etendis sian manon, kaj diris "Mi volas. Estu sana!" Kaj tuj lia lepro malaperis, kaj li tute resaniĝis.

SEKVATE ĉien de grandaj homamasoj, Jesuo iris kun la disciploj en domon por ripozi.

예수께서 그들에게 "나를 따라오라"고 말하자 그들은 곧 장 그분을 뒤따랐단다. 그후로 12사도 또는 열두 제자라고 부르는 그들은 언제나 그분과 함께 다녔지.

너무 많은 군중이 그분을 뒤따르면서 가르침을 받고자 하 여, 그분은 산으로 올라가 그들에게 설교를 했어.

그분 자신의 입으로 '하늘에 계시는 우리 아버지'로 시작 되는 기도문의 말씀을 전했지. 너희가 밤마다 기도하는 그 것인데, 그것을 사람들은 주기도문이라고 한단다.

예수 그리스도가 처음 기도했고, 또한 그분이 제자들에게 가르치며 기도하라고 했기 때문이지.
그분이 산에서 내려왔을 때 무서운 문둥병에 걸린 사람 하 나가 찾아왔단다. 그 당시 문둥병은 흔한 병이었고, 그 병 에 걸린 사람을 문둥이라고 불렀어.
문둥병 환자는 예수 그리스도의 발 앞에 엎드려 "주여! 당 신께서 원하시면 저를 낫게 하실 수 있습니다!" 라고 말했 지. 언제나 자비심으로 가득한 예수는 자신의 손을 뻗으며 말했단다.
"내가 원하니 나을 것이다!"
그러자 그 사람의 병은 금방 씻은 듯이 나았지.

그분이 가는 곳마다 수없이 많은 군중이 뒤따르는 가운데, 예수는 자신의 제자들과 함께 휴식을 취하러 어느 집으로 들어갔단다.

Dum li sidis interne, kelkaj viroj alportis sur lito viron, kiu estis tre malsana de paralizo; tiel, ke li tremis de kapo al piedo, kaj povis nek stari, nek moviĝi. Sed oni tiom amasiĝis ĉirkaŭ la pordo kaj la fenestroj, ke la viroj ne povis proksimiĝi al Jesuo Kristo; do ili suprengrimpis al la tegmento de la domo (ĝi estis malalta); kaj farinte truon en la tegmento, ili mallevis la liton, kun la paralizulo sur ĝi, en la ĉambron en kiu Jesuo sidis. Kiam Jesuo vidis lin, li diris kompatoplene "Leviĝu, prenu vian liton, kaj iru al via domo". Kaj la viro leviĝis kaj foriris tute sana; dankante Dion.

VENIS al li ankaŭ Centestro; tio estas, oficiro super la soldatoj. Li diris "Sinjoro! Mia servisto kuŝas hejme en mia domo, tre malsana". Jesuo Kristo respondis "Mi venos kaj sanigos lin". Sed la centestro diris: "Sinjoro! Mi ne estas inda, ke vi venu sub mian tegmenton. Nur parolu la vorton, kaj mi scias, ke li saniĝos". Tiam Jesuo Kristo, ĝoja, ke la centestro tiel vere kredis je li, diris "Tiel estu!" Kaj la servisto saniĝis en tiu sama horo.

Sed neniu, kiu venis al li, estis tiel plena de doloro kaj aflikto, kiel iu viro, kiu estis Estro aŭ Magistratano super multaj homoj.

그분이 안에 앉아 있을 때 몇몇 사람이 침상에 누워 있는 한 사람을 데려왔어. 그는 중풍을 심하게 앓고 있었는데 머리부터 발끝까지 부들부들 떨고 있었고, 서지도 움직이지도 못했단다.

하지만 군중이 문과 창문을 꽉 막고 있어서 그 사람들은 예수 그리스도에게 가까이 다가갈 수 없었지. 그래서 그들은 좀 낮은 편이었던 그 집 지붕 위로 올라간 뒤 지붕을 뚫고 아픈 사람이 누워 있는 침상을 예수가 앉은 방으로 내렸어. 이를 보는 순간, 예수는 너무나 불쌍한 마음이 들어 '일어나라! 그리고 침상을 들고 집으로 가거라!'하고 말했지. 그러자 그 사람은 벌떡 일어나 아주 건강하게 나갔단다. 하나님께 감사하면서말이야.

그곳에는 백부장(百夫長)도 있었는데, 백 명의 병사들을 거느린 대장을 말한단다. 그가 '주여! 제집에저의 종이 누워 있는데, 몹시 앓고 있습니다' 라고 말하자, 예수 그리스도가 '내가 가서 치료하겠노라'고 대답했지.

하지만 백부장은 '주여! 저희집에 오신다니 제가 감당할 수 없습니다. 말씀만 하셔도 치료되리라는 걸 저는 압니다' 라고 말했어. 예수 그리스도는 자신에 대한 백부장의 믿음이 진실하여 기뻐하면서 이렇게 말했단다.

"그 말대로 될 것이다!"

그 순간부터 종은 병이 나아버렸어.

그러나 그분을 찾아온 모든 사람들 가운데, 수많은 사람들을 다스리는 행정관이자 지도자 한 사람만큼 깊은 슬픔과 고통에 빠진 사람은 없었단다.

Li tordis la manojn, kaj diris: "Ho Sinjoro, mia filino - mia bela, bona, senkulpa knabineto - ĵus mortis. Ho, venu al ŝi, venu al ŝi, kaj metu vian benan manon sur ŝin, kaj mi scias, ke tiam ŝi vivos denove, kaj feliĉigos sian patrinon kaj min. Ho Sinjoro! Ni amas ŝin! Ni tiel multe amas ŝin! Kaj ŝi estas senviva!"

Jesuo Kristo eliris kun li, kaj ankaŭ liaj disĉiploj, kaj iris al lia domo. En la ĉambro en kiu kuŝis la kompatinda senviva knabineto estis amikoj kaj najbaroj; kaj ili ploris, kaj ludis mallaŭtan muzikon; kiel oni kutimis fari tiutempe, kiam iu mortis. Jesuo Kristo, rigardante al ŝi ameme, diris - por konsoli la kompatindajn gepatrojn - "Ŝi ne estas senviva. Ŝi dormas". Tiam li ordonis, ke oni forigu ĉiujn el la ĉambro, kaj, irinte al la mortinta infano, li prenis ŝian manon, kaj ŝi leviĝis tute sana, kvazaŭ ŝi nur dormis. Ho, kiel bele, vidi la gepatrojn premi ŝin en la brakoj, kaj kisi ŝin, kaj danki Dion kaj Jesuon Kriston lian Filon pro tia granda favoro! Sed li ĉiam estis kompatema kaj amema. Kaj pro tio, ke li faris tiom da bono, kaj instruis al la homoj ami Dion, kaj donis al ili esperon iri al la ĉielo post la morto, oni nomis lin Nia Savanto.

그는 손을 모아 울면서 말했어.

"오, 주여! 예쁘고 착하고 죄없는 한 어린 딸이 죽었습니다. 오, 딸에게 오셔서, 제 딸에게 오셔서 당신의 그 은총 입은 손을 딸에게 얹어주십시오. 제 딸이 생명을 되찾고, 저와 그 애의 어머니가 기쁨을 얻게 될 줄 저는 압니다. 오, 주여! 저희는 그 애를 너무나 사랑합니다. 너무 사랑합니다! 그 애는 죽었습니다."

예수 그리스도는 그와 함께 밖으로 나가 그의 집으로 갔단다. 물론 열두 제자도 따라갔지. 불쌍한 소녀가 죽어서 누워 있는 방에는 친구들과 친척들이 통곡하면서 조용하게 악기를 연주했어. 그 당시에는 사람이 죽으면 모두 그렇게 하곤 했단다. 소녀를 슬프게 바라보던 예수 그리스도가 불쌍한 부모를 위로하며 말을 꺼냈단다.

"이 애는 죽은 것이 아니라 자고 있다."
그러고 나서 그분은 방안에 있던 사람들을 모두 나가게 하고는 죽은 소녀에게 다가가 손을 얹었어. 소녀는 마치 잠을 자다가 깨어난 것처럼 일어났지. 부모가 소녀를 두 팔로 부둥켜안고 입맞춤을 하고, 크나큰 자비를 베푼 하나님과 그분의 아들 예수 그리스도에게 감사를 드리는 장면은 얼마나 놀라우냐! 이처럼 그분은 언제나 자비롭고 다정했단다. 그토록 선한 일을 하시는 그분은 어떻게 하나님을 사랑하고 죽은 뒤에 천국으로 갈 수 있는지 사람들에게 가르쳐주셨지.
그래서 그분을 '구세주'라고 부르게 되었어.

LA KVARA ĈAPITRO

En tiu lando, en kiu nia Savanto faris siajn miraklojn, loĝis kelkaj viroj nomitaj Fariseoj. Ili estis tre fieraj; kaj kredis, ke neniu estis tiel bona, kiel ili mem. Ili timis Jesuon, ĉar li instruis al la homoj pli bone; kaj la Judoj ĝenerale havis la saman senton. La plimulto el la loĝantoj de tiu lando estis Judoj.

En unu dimanĉo (la Judoj nomis, kaj ankoraŭ nomas, tiun tagon la Sabato) nia Savanto promenis tra la grenkampoj kun siaj disĉiploj. Ili komencis deŝiri kaj manĝi spikojn de la greno, kiu tie kreskis. La Fariseoj diris, ke ili agis malprave. Simile, kiam nia Savanto iris en unu el iliaj preĝejoj – oni nomis ilin Sinagogoj – kaj rigardis kompate al viro, kies mano estis tute velkinta, la Fariseoj diris "Ĉu estas prave sanigi je dimanĉo?" Nia Savanto respondis al ili, dirante "Se iu el vi havus ŝafon, kaj ĝi falus en fosaĵon, ĉu vi ne elprenus ĝin, eĉ kvankam tio okazus je dimanĉo? Kaj kiom homo superas ŝafon!". Tiam li diris al la kompatinda viro "Etendu vian manon!". Kaj ĝi tuj saniĝis, kaj fariĝis glata kaj utila, kiel la alia. Jesuo do instruis, ke oni ĉiam rajtas fari bonon, en kiu ajn tago.

제4장   나인성 과부

구세주가 기적을 행했던 그 나라에는 바리새인들도 살고 있었단다. 그들은 매우 거만하고 자기들말고는 착한 사람이 아무도 없다고 믿었어. 그들은 예수 그리스도가 사람들을 잘 가르치기에 무척 두려워했지. 유대인들도 모두 마찬가지였단다. 그 나라의 주민들 중 대부분은 유대인이었어.

구세주는 어느 일요일(그때나 지금이나 유대인들은 이날을 안식일이라고 한다), 열두 제자와 함께 밀밭 사이를 걸어갔단다. 그들은 먹기 위해 거기서 자란 이삭을 거두었어. 바리새인들은 이를 두고 잘못된 일이라고 했지. 바리새인들은 자신들이 회당이라고 부르는 곳으로 구세주가 들어가시며 손이 비쩍 마르고 쇠약해진 어떤 사람을 자비롭게 치료해주었을 때도 이렇게 말했단다.
"주일에 사람을 치료하는 것이 옳은 일입니까?"
구세주는 그들에게 이렇게 대답했어.
"너희 중에서 양 한 마리를 가진 사람이 있다면 양이 구덩이에 빠졌을 때 그날이 안식일이라고 해서 구하지 않겠느냐? 하물며 사람은 양보다 더 귀하지 않느냐?"

그리고 불쌍한 사람에게 "손을 뻗으라."고 말씀하시자 손이 건강하게 되어 다른 손처럼 부드럽게 사용하게 되었지. 그런 다음 예수 그리스도가 사람들에게 어느 날이든 상관없이 언제나 선한 일을 하라고 말씀하셨단다.

POST ne longe, nia Savanto iris en urbon nomitan Nain, sekvate de multege da homoj; speciale de tiuj, kies parencoj aŭ amikoj aŭ infanoj estis malsanaj. Oni portis malsanulojn al la strataj kaj vojoj tra kiuj li pasis; kaj petis, ke li tuŝu ilin; kaj kiam li tion faris, ili resaniĝis. Kiam li proksimiĝis al la pordego de la urbo, li renkontis funebran procesion. Ĝi estis la funebro de junulo, kiun oni portis tute videblan sur portilo. Tio estis la kutimo en tiu lando, kaj oni faras same ankoraŭ nun en multaj partoj de Italujo. Lia kompatinda patrino sekvis la portilon, kaj ploris tre multe, ĉar ŝi ne havis alian infanon. Kiam nia Savanto rigardis ŝin, li estis kortuŝita vidi ŝin tiel malĝoja, kaj diris al ŝi "Ne ploru!". Tiam, dum la portantoj haltis, li iris al la junulo kaj tuŝis lin per la mano, kaj diris "Junulo! Leviĝu!" Kaj la mortinto, reviviĝinte je la sono de la voĉo de la Savanto, leviĝis, kaj komencis paroli. Kaj Jesuo Kristo daŭrigis sian iradon, lasante lin kun lia patrino. Ha! kiel feliĉaj ili ambaŭ estis! La homamaso tiam estis tiel granda, ke Jesuo Kristo iris al la marbordo, por iri en ŝipeto al loko pli senhoma. Kaj en la ŝipeto li ekdormis, dum liaj disĉiploj sidis sur la ferdeko.

얼마 후, 구세주가 나인이라는 성으로 갔는데 수많은 사람들이 그분을 뒤따랐고, 특히 아픈 친척이나 친구, 아이가 있는 사람들이 더 많이 몰려들었단다. 그분이 지나치는 길거리마다 사람들은 아픈 사람들을 내놓고 만져달라고 요청했지. 그분이 그렇게 하면 사람의 병이 치료되었어.

군중 사이로 계속 나아가 성의 입구에 다다랐을 때 그분은 어느 젊은 사람의 장례 행렬과 마주쳤단다. 당시 그 나라의 관습이었고, 오늘날도 이탈리아의 많은 지방에서 행해지고 있는 것과 마찬가지로 젊은 사람은 뚜껑이 열린 관에 눕혀져 있었어.

그의 불쌍한 어머니는 관을 따라가며 몹시 슬피 울고 있었지. 그녀에게 다른 아이가 없어서 더 그러했단다. 구세주도 그녀를 보았어. 그분은 슬퍼하는 그녀를 보고 안타까워하며 이렇게 말했지.

"울지 말지어다!"

그러자 관을 들었던 상여꾼들이 조용히 멈춰 섰고, 그분은 다가가 손으로 상여를 만지며 말했단다.

"젊은이여! 일어나라!"

구세주의 목소리에 죽은 사람이 다시 생명을 얻어 일어나 말하기 시작했어. 예수 그리스도는 그를 어머니 품에 남겨두고 다시 길을 떠났지. 두 사람은 얼마나 기뻤겠니! 얼마 지나지 않아 군중의 수가 너무 늘어나자 예수 그리스도는 물가로 내려갔단다. 사람이 없는 곳의 배에 오르기 위해서였지.

그리고 그분은 잠에 빠져들었고, 그동안 제자들은 갑판에 앉아 있었어.

Dum li dormadis, leviĝis granda ŝtormo, tiel, ke la ondoj batis en la ŝipeton, kaj la muĝanta vento tiel ĝin balancis kaj skuis, ke la disĉiploj timis, ke ĝi iros al la fundo.

En granda timo ili vekis nian Savanton, kaj diris "Sinjoro, savu nin, aŭ ni pereos!". Jesuo stariĝis, kaj, levante sian brakon, diris al la ruliĝanta maro kaj la fajfanta vento "Silentu! Kvietiĝu!". Kaj tuj la vetero estis serena kaj agrabla, kaj la ŝipeto iris. sendanĝere antaŭen sur la glataj akvoj.

Kiam ili venis al la alia flanko de la maro, ili devis pasi sovaĝan kaj solecan tombejon, kiu staris ekster la urbo al kiu ili iris. En tiu tempo la tombejo ĉiam troviĝis ekster la urbo. Tie estis timiga frenezulo, kiu loĝis inter la tomboj, kaj laŭte kriis tage kaj nokte, tiel, ke la vojaĝantoj timis, lin aŭdante. Oni jam penis kateni lin, sed li estis tiel forta, ke li rompis la ĉenojn; kaj li kutimis sin ĵeti sur la akrajn ŝtonojn, kaj terure sin vundi, kriante la tutan tempon. Kiam tiu mizera viro vidis Jesuon Kriston de malproksime, li kriis: "Estas la filo de Dio! Ho Filo de Dio! Ne turmentu min!"

그런데 그분이 잠든 사이 갑자기 맹렬한 폭풍이 일어 파도
가 배를 때리고, 윙윙대는 바람이 배를 뒤흔들어댔어. 제자
들은 배가 가라앉지 않을까 무척 두려워 구세주를 깨우며
말했단다.

"주여! 우리를 구해주십시오. 이러다간 우리가 죽겠습니
다!"

그분은 일어나 자신의 팔을 들며 굽이치는 바다와 휘휘 소
리치는 바람을 향해 꾸짖으며 말했지.

"잠잠하라! 가만히 있어라!"

그러자 날씨는 곧 잠잠해지면서 개었고, 배는 매끄럽게 물
위를 안전하게 항해했단다.

바다 건너편에 도착한 그들이 목적지인 시내로 가려면 시
외곽의 거칠고 쓸쓸한 공동묘지를 지나야 했어. 그때는 공
동묘지가 모두 시 외곽쪽에 있었지. 그곳에 미친 사람이
묘지 사이에서 살고 있었는데, 밤낮을 가리지 않고 울부짖
으며 다녀서 지나는 사람들이 그 소리를 듣고 무서워했단
다. 사람들이 쇠사슬로 그를 묶으려 했으나 그는 쇠사슬을
끊어버렸어. 그만큼 힘이 셌지.

그는 또 자기 몸을 뾰족뾰족한 돌 위로 내던지기도 하고,
무시무시하게 자기 몸을 칼로 긋기도 했단다. 계속 소리지
르고 울부짖으면서 말이야. 그 사람은 멀리서 예수 그리스
도를 보자 이렇게 외쳤대.

"하나님의 아들이십니다! 오, 하나님의 아들이시여, 나를 괴
롭히지 마십시오!"

Jesuo, veninte apud lin, kaj vidante, ke li estas turmentata de malbona spirito, forigis la frenezecon el li en gregon da porkoj apude.

Ili tuj kuregis sur kruta loko malsupren en la maron, kaj mortis.

EN tiu tempo reĝis super la lando Herodo, la filo de la kruela reĝo kiu murdis la senkulpajn infanojn. Kiam Herodo aŭdis, ke Jesuo Kristo faras tiajn mirindaĵojn, kaj ke li igas la blindajn vidi kaj la mutajn paroli kaj la lamajn marŝi, kaj estas sekvata de amasoj da homoj, li diris "Tiu viro estas kunulo kaj amiko de Johano la Baptisto". Johano, vi memoros, estis la bona viro kiu portis veston kamelharan, kaj manĝis sovaĝan mielon. Pro tio, ke Johano instruis kaj predikis al la popolo, Herodo jam malliberigis lin, kaj tiumomente tenis lin ŝlositan en la malliberejoj de lia palaco.

DUM Herodo estis en tiu kolera humoro kontraŭ Johano, venis lia naskiĝa tago, kaj lia filino Herodias, kiu estis lerta dancistino, dancis antaŭ li, por plaĉi al li. Ŝi lin plaĉis tiel multe, ke li ĵure promesis doni al ŝi ion ajn, kion ŝi petos. "Do, patro," diris ŝi "donu al mi sur plado la kapon de Johano la Baptisto!"

그에게 다가간 예수는 귀신 때문에 크게 고통받고있다는 것을 보시고 귀신을 몰아내어 가까운 곳의 돼지들 속으로 들어가게 만들었단다.

그러자 돼지들은 바다에 이르는 가파른 언덕을 곧바로 쏜 살같이 달려 내려가 죽어버렸어.

죄 없는 아기들을 살해했던 잔인한 왕의 아들인 헤롯이 이제는 그곳 사람들을 통치하고 있었지. 그는 예수 그리스도가 기적을 일으켜 눈먼 사람을 보게 만들고, 귀 먼 사람을 듣게 만들고, 말 못하는 사람을 말하게 만들고, 못 걷는 사람을 걷게 만든다는 소식을 들었단다.

그래서 그분의 뒤를 수많은 사람들이 뒤따르고 있다는 소문도 들었지.

그 소문을 들은 헤롯이 말했어.

"그자는 침례 요한과 같은 무리며 친구다."

너희도 기억할게다. 요한은 낙타 털로 만든 남루한 옷을 입고 석청 꿀을 먹던 선한 사람이라는 것을. 사람들을 가르치고 또 설교했다는 이유로 헤롯은 그에게 죄를 뒤집어 씌워 왕궁의 감옥에 가두었단다.

헤롯이 요한에게 아직 화가 풀리지 않은 동안 왕의 생일이 다가왔어. 춤을 매우 잘 추는 딸 헤로디아가 기쁘게 해주려고 그 앞에서 춤을 추었지. 그녀가 자신을 너무 기쁘게 해주자 원하는 것은 무엇이든 주겠다고 굳게 약속했단다.

'그렇다면 아버지, 침례 요한의 목을 큰 접시에 담아 저에게 갖다주세요' 라고 딸이 말했지.

Ĉar ŝi malamis Johanon, kaj estis peka, kruela virino.

La reĝo bedaŭris aŭdi tion, ĉar kvankam li malliberigis Johanon, li ne deziris lin mortigi. Tamen, pro tio, ke li ĵuris doni al ŝi ion ajn, kion ŝi petos, li sendis soldatojn al la malliberejo, kun ordono fortranĉi la kapon de Johano la Baptisto kaj doni ĝin al Herodias. Ili faris tion, kaj portis ĝin al ŝi en plado laŭ ŝia peto. Kiam Jesuo Kristo aŭdis de la Apostoloj pri tiu kruela faro, li foriris de la urbo, kaj iris kun ili al alia loko. Sed unue ili sekrete forportis la korpon de Johano, kaj entombigis ĝin en la nokto.

그녀는 요한을 증오했으며, 사악하고 잔인한 여자였단다.

그는 후회가 되었지. 비록 요한을 죄수로 만들기는 했지만 죽일 작정은 아니었기 때문이었어. 하지만 그녀가 원하는 것을 주겠다고 약속했기 때문에 그는 몇 명의 병사들을 감옥으로 보냈단다. 침례 요한의 목을 잘라 그것을 가져다주라는 명령과 함께 말이다. 그들은 명령대로 침례 요한의 목을 큰 접시에 담아 그녀에게 가져다주었어.

예수 그리스도는 이 잔인한 행위를 제자들로부터 전해듣고는 그 도시를 떠나 그들과 함께 다른 곳으로 떠났지.

하지만 먼저 그들은 밤에 몰래 요한의 시신을 가져와 땅에 묻어주었단다.

LA KVINA ĈAPITRO

UNU el la Fariseoj petis nian Savanton, ke li venu en lian domon, kaj manĝu kun li. Kaj dum Jesuo sidis ĉe la tablo, manĝante, venis en la ĉambron virino el tiu urbo, kiu estis vivinta malbone kaj peke. Ŝi hontis, ke la Filo de Dio ŝin vidu; tamen ŝi fidis al lia boneco, kaj al lia kompato por ĉiu, kiu, farinte malbonon, vere sentas en la koro bedaŭron pri tio. Do iom post iom ŝi proksimiĝis al la loko, sur kiu li sidis, kaj genuis ĉe liaj piedoj, kaj malsekigis ilin per larmoj de malĝojo. Tiam ŝi kisis ilin, kaj sekigis ilin per siaj longaj haroj, kaj frotis ilin per dolĉodora ŝmiraĵo, kiun ŝi alportis kun si en skatolo. Ŝia nomo estis Maria Magdalena.

Kiam la Fariseo vidis, ke Jesuo permesis al tiu virino lin tuŝi, li diris al si mem "Jesuo ne scias, kiom peka tiu virino vere estis". Sed Jesuo Kristo sciis liajn pensojn, kaj diris al li "Simon!" – ĉar lia nomo estis Simon – "Se viro havus du ŝuldantojn, unu el kiuj ŝuldas al li kvincent denarojn, kaj la alia ŝuldas al li nur kvindek denarojn, kaj li pardonus al ambaŭ la ŝuldojn, kiu el ili amus lin pli multe?"

제5장 향유를 드린 마리아

바리새인이 구세주에게 자기 집에 와서 함께 식사하자고
간청했단다. 구세주가 식탁에 앉아 식사를 하는 동안 그
성에 사는, 나쁜 짓을 하여 죄가 많은 여인이 방으로 들어
왔어.
그녀는 하나님의 아들이 자신을 볼까 부끄러웠지. 그래도
그녀는 그분의 선함을 너무나 굳게 믿었고, 또 어떤 사람
이 잘못을 저질렀어도 진심으로 마음속 깊이 반성한다면
누구에게든 자비를 베푼다는 것을 너무나 굳게 믿었기 때
문에 그녀는 조금씩 그분이 앉아 있는 곳에 다가가 그분의
발아래 엎드렸어. 그녀의 서러운 눈물이 그분의 발을 적셨
단다. 그녀는 그분의 발에 입맞춤을 하고, 자신의 긴 머리
카락으로 발을 닦고 나서 상자에 담아온 향긋한 향유를 발
에 발라주었어. 그녀의 이름은 막달라 마리아였지.
그 여인이 몸을 만지도록 내버려두는 예수의 모습을 본 바
리새인은 여인이 얼마나 나쁜지 예수가 모르고 있다고 중
얼거렸단다.
그러자 예수 그리스도는 그의 생각을 아시고 '시몬아',
하고 그의 이름을 부르며 이렇게 물었어.
"만일 사람에게 빚진 사람 둘이 있어서, 한 사람은 5백
만원의 빚을 지고 있고 다른 사람은 50만원의 빚을 지고
있는데, 그가 모두에게 빚을 탕감해주었다면 두 사람 가운
데 누가 더 그를 사랑할 거라고 생각하느냐?"

Simon respondis "Tiu, mi supozas, al kiu li pardonis la pli grandan ŝuldon". Jesuo diris al li "Vi estas prava", kaj aldonis "Tial, ke Dio pardonis al tiu virino tiom multe da pekoj, ŝi amos lin, mi esperas, tiom pli multe". Kaj li diris al ŝi "Dio pardonas al vi".

La ĉeestantoj miris, ke Jesuo Kristo havas la povon pardoni pekojn, sed Dio ĝin donis al li. Kaj la virino foriris, dankante Dion pro lia boneco.

NI lernas el tio, ke ni ĉiam devas pardoni al tiuj, kiuj faris al ni malbonon, kiam ili venas al ni kaj diras, ke tion ili vere bedaŭras. Kaj eĉ se ili ne venas kaj diras tion; se ni deziras, ke Dio pardonu al ni mem, ni same devas pardoni al ili; kaj neniam malami ilin, aŭ agi malafable kontraŭ ili.

Post tio okazis granda festo de la Judoj, kaj Jesuo iris al Jerusalem. Apud la ŝafvendejo en tiu urbo estis lageto nomita Betesda, kiu havis kvin portikojn. En tiu sezono de la jaro multaj malsanuloj kaj kripluloj iris al tiu lageto, por sin bani en ĝi.

시몬이 대답했단다.

"더 많은 빚을 탕감받은 사람이라고 생각합니다."

예수는 그 말이 옳다고 하면서 그에게 말했어.

"하나님이 그토록 많은 죄를 지은 이 여인을 용서하시었으니 그녀는 그분을 더 많이 사랑할 것이라고 나는 생각하느니라."

그러고 나서 그분은 그녀에게 말했지.

"하나님이 그대를 용서했노라!"

그 자리에 같이 있던 사람들은 예수 그리스도가 죄를 용서해줄 권능이 있는지 의아해했어. 하지만 하나님은 이미 그분에게 그러한 권능을 주셨단다. 여인은 그분이 베푼 선하심 때문에 하나님께 감사드리며 길을 떠났지.

여기에서 우리는 자신에게 어떤 해를 끼쳤던 사람들이라도 우리에게 와서 진정으로 사과한다면 그들을 언제나 용서하여야 한다는 것을 배워야 해. 그들이 비록 그렇게 사과하지 않는다 하여도 하나님이 우리를 용서하기를 바란다면, 우리는 여전히 그들을 용서하여야 하며 그들에게 해를 입히거나 그들에게 불친절해서는 결코 안된단다.

그뒤 유대인들의 커다란 잔치가 있어 예수 그리스도는 예루살렘 성으로 가셨어. 그곳의 양을 파는 시장 근처에 베데스다라는 작은 연못이 하나 있었는데, 그곳으로 가는 문이 다섯 개 있었단다. 해마다 잔치가 열리는 이때쯤이면 수많은 아픈 사람들과 장애인들이 이 연못에 와서 목욕을 하곤 했지.

Ili kredis, ke anĝelo venas kaj movas ĝian akvon, kaj ke la unua persono, kiu eniros la akvon post tio, resaniĝos, tute egale, de kia malsano li aŭ ŝi suferas.

Inter tiuj kompatinduloj estis iu viro, kiu estis malsana tridek ok jarojn. Kiam Jesuo vidis, ke li kuŝas sola sur la lito kaj havas neniun helpanton, li kompatis lin. La viro diris al Jesuo, ke li neniam povas trempiĝi en la lageto, ĉar li estas tiel malforta kaj malsana, ke li ne povas sin movi por eniri. Nia Savanto diris al li "Leviĝu, prenu vian liton, kaj iru". Kaj li foriris, tute sana. MULTAJ Judoj tion vidis; kaj kiam ili vidis ĝin, ili tiom pli malamis Jesuon Kriston; ĉar ili timis, ke la homoj instruitaj kaj resanigitaj de li ne plu fidos al siaj pastroj, kiuj diras al ili neveraĵojn kaj trompas ilin. Do ili diris unu al alia, ke oni devos mortigi Jesuon Kriston, pro tio, ke li resanigas homojn en la Sabata tago (kio estis kontraŭ ilia severa leĝo), kaj ke li nomas sin la Filo de Dio. Kaj ili klopodis igi homojn malamikaj al li, kaj instigi la amasojn sur la stratoj lin murdi.

Sed kien ajn li iris, la homoj lin sekvis, benante lin, kaj petante, ke li instruu kaj sanigu ilin; ĉar ili sciis, ke li faras nur bonon.

천사가 내려와 그 물을 휘저을 것이며, 그렇게 한 뒤 처음으로 들어가는 사람은 갖고 있던 병이 무엇이든 다 낫는다고 믿기 때문이었단다.

그 불쌍한 사람들 가운데 38년 동안이나 앓고 있는 사람이 있었어. 예수 그리스도는 그가 돌보아주는 사람 하나 없이 홀로 자기 침대에 누워 있는 모습을 보자 매우 불쌍히 여겼지. 그는 예수 그리스도에게 자신이 그곳으로 움직여 갈 수조차 없을 만큼 허약하고 아파서 여태껏 한 번도 그 연못에 몸을 담글 수 없었다고 말했어.
구세주가 그에게 말했단다.
"일어나 너의 침대를 들고 가거라."
그러자 그는 건강하게 되어 떠나갔어.

많은 유대인들이 이것을 보고는 예수 그리스도를 더욱 증오하게 되었단다. 그분의 가르침과 치료를 받은 사람들이 자기네 사제들은 믿지 않으리라는 것이 두려워서. 그 사제들은 사람들에게 거짓말을 하고 속였던 거야. 그래서 그들은 예수 그리스도가 안식일에 사람들을 치료하고 (그들의 엄격한 법에 위반), 스스로를 신의 아들이라 불렀다는 이유를 들어 예수 그리스도가 죽임을 당해야 한다고 수군댔단다. 그들은 그분을 반대하는 적개심을 불러일으켜 거리의 군중으로 하여금 그분을 죽이도록 하려 했지.
하지만 사람들은 그분이 어디를 가든지 그분을 경배하고 가르침과 치료를 바라며 따라다녔어. 그분이 선한 일 말고는 하지 않는다는 것을 알기 때문이란다.

Jesuo iris kun siaj disĉiploj trans la maron de Galileo, nomitan la Maro de Tiberias. Dum li sidis kun ili ĉe monta flanko, estis tie granda homamaso. Li demandis al la apostolo Filipo "De kie ni aĉetu panojn, por ke ili manĝu kaj refreŝiĝu post sia longa vojaĝo?". Filipo respondis "Sinjoro, por tiom da homoj ne sufiĉus panoj por ducent denaroj, kaj ni havas neniom". Diris alia apostolo - Andreo, la frato de Simon Petro - "Ni havas nur kvin hordeajn panojn kaj du malgrandajn fiŝojn, kiuj apartenas al knabo inter ni. Kiom utilas tio, por tiom da homoj?" Jesuo Kristo diris "Sidigu ilin ĉiujn". Oni tion faris; estis tie multe da herbo. Kiam ĉiuj sidiĝis, Jesuo prenis la panojn, rigardis al la ĉielo, kaj donis dankon, kaj disdonis la manĝon al la Apostoloj, kiuj donis ĝin al la sidantoj. Kaj el tiuj kvin malgrandaj panoj kaj du fiŝoj manĝis kvin mil viroj, krom virinoj kaj infanoj, kaj havis sufiĉe. Kiam ĉiuj satiĝis, oni plenigis dek du korbojn per la fragmentoj kiuj postrestis. Tio estas alia el la mirakloj de Jesuo Kristo.

NIA Savanto tiam forsendis siajn disĉiplojn en ŝipeto trans la akvon. Li diris, ke li sekvos ilin poste, kiam li estos forsendinta la homojn.

제자들과 함께 디베랴 바다라고도 하는 갈릴리 바다 건너편 언덕 위에 앉은 예수는 거대한 무리를 이룬 사람들을 보고 사도 빌립에게 물었단다.

"저들이 오랜 여행을 한 뒤이니, 저들이 먹고 기운을 회복할 수 있는 빵을 우리가 어디서 구할 수 있겠느냐?"

빌립이 대답했어.

"주여, 사람들이 너무 많아 2백 만원 어치의 빵이라도 충분치 않는데 우리에게는 돈이 하나도 없습니다."

이어 또 다른 사도 시몬 베드로의 아우 안드레가 말했지.

"우리 가운데 소년이 갖고 있는 작은 보리빵 다섯 덩어리와 자그마한 물고기 두 마리가 전부입니다. 이 많은 사람들에게 무슨 소용이 있겠습니까?"

예수 그리스도가 말했단다.

"사람들을 모두 앉게 하라!"

그곳에 드넓은 풀밭이 있어 사람들이 그렇게 앉았어. 모두 앉자 예수는 빵을 들고 하늘을 올려다본 뒤 감사하고 빵을 쪼개어 사도들에게 주었고, 사도들은 다시 군중에게 나누어주었단다.

그리하여 여자와 아이들을 제외하고 5천명의 남자가 그 작은 빵 다섯 덩어리와 물고기 두 마리를 먹고도 충분했어. 사람들이 모두 배불리 먹은 뒤에도 남은 것을 모으니 바구니 열두 개에 가득했지. 이것이 예수 그리스도의 또 다른 기적이란다.

그뒤 구세주는 제자들을 배에 태워 물을 건너 떠나보냈어. 군중을 떠나보낸 뒤 곧 그들을 뒤쫓아갈 것이라고 이야기하면서 말이다.

Fine ĉiuj foriris, kaj li restis sola por preĝi. Nu, kiam noktiĝis, la disĉiploj ankoraŭ remadis sur la akvo en sia ŝipeto, demandante al si "Kiam venos Jesuo?". Malfrue en la nokto, kiam la vento estis kontraŭ ili kaj la ondoj ruliĝis alte, ili vidis lin venanta al ili sur la akvo, kvazaŭ sur seka tero. Kiam ili vidis tion, ili timegis, kaj kriis. Sed Jesuo diris "Ĝi estas mi. Ne timu!". Petro, gajninte kuraĝon, diris al li "Sinjoro, se estas vi, ordonu al mi, ke mi venu al vi sur la akvo". Jesuo Kristo diris "Venu!" Petro tiam komencis iri al li. Tamen, vidante la kolerajn ondojn, kaj aŭdante la muĝon de la vento, li ektimis, kaj komencis subakviĝi. Sed Jesuo etendis la manon, kaj kondukis lin en la ŝipeton. Tuj la vento ĉesiĝis, kaj la disĉiploj diris unu al alia "Estas vere! Li ja estas la Filo de Dio". POST tio Jesuo faris multe pli da mirakloj, kaj resanigis multe da malsanuloj li igis la lamojn marŝi, kaj la mutajn paroli, kaj la blindajn vidi. Kaj denove, ĉirkaŭate de granda homamaso, kiu estis laca kaj malsata, kaj estadis kun li tri tagojn preskaŭ sen manĝo, li prenis de la disĉiploj sep panojn kaj kelke da fiŝoj, kaj denove dividis ilin inter la homoj, kiuj estis nombre preskaŭ kvar mil.

군중이 떠나자 그분은 혼자 남아 기도를 올렸어. 그리고 밤이 되자 제자들은 그리스도가 언제 올지 걱정하면서 아직까지 물에서 배를 젓고 있었지.

늦은 밤, 그들을 향하여 바람이 불고 파도가 점점 높아질 즈음 그들은 그분이 마치 마른 땅 위를 걷듯이 물위를 걸어 다가오는 모습을 보았단다. 그들은 두려움에 떨며 소리쳤어. 그러자 예수가 말했지.

"나니 두려워 말아라."

베드로가 용기를 내어 말했단다.

"주여, 만일 당신이거든 저도 물 위를 지나 당신에게 가게 해주십시오."

예수 그리스도가 말했어.

"오너라!"

그러자 베드로는 그분을 향하여 걸어갔지. 하지만 성난 파도와 으르렁거리는 바람소리에 깜짝 놀라 가라앉기 시작했어. 하지만 예수가 그를 손으로 붙잡아 배에 올려놓았어. 잠시 후 바람이 잦아들었단다. 제자들은 서로 수군댔지.

"정말이다! 그분은 하나님의 아들이시다."

그뒤에도 예수는 많은 기적을 행했어. 걷지 못하는 사람은 걸을 수 있게, 말하지 못하는 사람은 말할 수 있게, 보지 못하는 사람은 볼 수 있게 하는 등 수많은 사람들을 치료해주었단다.

그분은 자신을 에워싸고 3일 동안 함께 지내오면서 거의 먹지 못해 배고프고 허약한 군중에게 제자들로부터 빵 일곱 덩어리와 물고기 몇 마리를 달라고 해 나눠주었는데, 그 수가 4천 명이나 되었어.

Ili ĉiuj manĝis, kaj per la restaĵoj oni plenigis sep korbojn.

Li nun apartigis la disĉiplojn, kaj sendis ilin en multajn urbojn kaj vilaĝojn por instrui la homojn; kaj li donis al ili povon en la nomo de Dio resanigi ĉiun malsanulon. En tiu tempo li komencis ankaŭ diri al ili (ĉar li sciis antaŭe, kio okazos), ke iam li devos reiri al Jerusalem, kie li multe suferos, kaj kie oni lin mortigos. Sed li diris al ili, ke je la tria tago post sia morto li leviĝos el la tombo, kaj supreniros al la ĉielo, kie li sidos ĉe la dekstra mano de Dio, petante pardonon por pekuloj.

사람들이 모두 배를 채우기에 충분했고, 남은 것을 모아보니 일곱 바구니에 가득했어.

그분은 이제 제자들을 여러 도시와 마을로 보내어 사람들을 가르치게 했으며, 하나님의 이름으로 아픈 사람들을 치료할 수 있는 권능을 그들에게 주었단다. 그러고는 (앞으로 어떤 일이 일어날지 알고 있었기 때문에) 그들에게 자신이 언젠가 예루살렘으로 돌아가 그곳에서 숱한 고난을 받을 것이며, 또 그곳에서 분명 죽음을 맞게 될 거라고 말해주었지. 그리고 자신이 죽은 지 3일째 되는 날 무덤에서 살아나 하늘로 올라갈 것이며, 그곳에서 하나님의 오른쪽에 앉아 있으면서 죄 있는 자들을 위해 하나님의 용서를 구하게 될 것이라고 그들에게 말해주었어.

LA SESA ĈAPITRO

SES tagojn post la lasta miraklo de la panoj kaj fiŝoj, Jesuo Kristo iris en altan monton kun nur tri el la disĉiploj - Petro, Jakobo, kaj Johano. Kaj dum li parolis al ili tie, subite lia vizaĝo komencis lumi kiel la suno, kaj liaj vestoj fariĝis blankaj kaj brilis kiel arĝento, kaj li staris antaŭ ili kun aspekto de anĝelo. Samtempe superombris ilin luma nubo, kaj aŭdiĝis voĉo el la nubo, diranta: "Ĉi tiu estas mia Filo, la amata, en kiu mi havas plezuron. Aŭskultu lin". Ĉe tio la tri disĉiploj falis teren kaj kovris la vizaĝojn, ĉar ili tre timis.

Oni nomas tion la Aliformiĝo de nia Savanto. Kiam ili malsupreniris de la monto, kaj estis ree inter la homamaso, viro genuis antaŭ Jesuo Kristo kaj diris "Sinjoro, kompatu mian filon, ĉar li estas freneza, kaj ne povas regi sin. Jen li falas en la fajron, kaj jen en la akvon, kaj li kovriĝas de cikatroj kaj ulceroj. Kelkaj el viaj disĉiploj penis resanigi lin, sed ne povis".

제6장 용서의 의미

빵과 물고기의 기적을 일으킨 지 엿새째 되는 날, 예수 그리스도는 베드로와 야고보와 요한을 데리고 높은 산으로 올라갔단다.

그분이 그곳에서 그들과 이야기를 하는 동안 갑자기 그분의 얼굴은 마치 태양처럼 찬란하게 빛나기 시작했고, 그분이 입은 하얀 옷은 번쩍이는 은처럼 반짝반짝 빛났으며, 그분은 마치 천사처럼 그들 앞에 서 있었지.
동시에 밝게 빛나는 구름이 그들을 뒤덮더니 구름 속에서 목소리가 들려왔어.
"내가 기뻐하는 나의 사랑하는 아들이니라. 그의 말을 들어라."
이에 세 제자는 무릎을 꿇고 두려움에 떨며 얼굴을 감추었지.이것을 사람들은 '구세주의 변화' 라 한단다.

그들이 산에서 내려와 다시 사람들 사이로 들어갔을 때, 한 사람이 예수 그리스도의 발아래 엎드려 말했어.
"주여, 내 아들에게 자비를 베풀어주십시오 아들은 미쳐서 자신을 어쩌지 못합니다. 이따금씩 불로 뛰어들기도 하고 어떤 때는 물로 뛰어들기도 하며, 온몸에 상처와 칼자국을 내기도 합니다.
당신의 제자들이 치료하려했으나 실패했습니다."

Nia Savanto tuj resanigis la infanon; kaj, sin turninte al la disĉiploj, diris al ili, ke la kialo ke ili mem ne povis lin resanigi estis, ke ili ne kredis je li tiom, kiom li esperis.

LA disĉiploj demandis al li "Majstro, kiu estas la plej granda en la regno de la ĉielo?". Jesuo vokis al si infanon, kaj prenis lin en siajn brakojn, kaj starigis lin inter ili. Tiam li respondis: "Infano tia estas la plej granda. Mi diras al vi, ke neniu, kiu ne estas tiel humila kiel malgranda infano, povos eniri en la regnon de la ĉielo. Kiu akceptos unu tian infanon en mia nomo, tiu akceptos min. Sed kiu igos unu el ili fali, por tiu estus pli bone, se muelŝtono estus pendigita ĉirkaŭ lia kolo, kaj se li dronus en la profundo de la maro. La anĝeloj estas ĉiuj infanoj". Nia Savanto amis la infanon; li amis ĉiujn infanojn. Jes, kaj la tutan mondon. Neniam iu ajn amis ĉiujn homojn tiel profunde kaj vere, kiel li.

Petro demandis al li: "Sinjoro, kiomfoje mi pardonu al iu, kiu pekas kontraŭ mi? Ĝis sep fojoj?", Nia Savanto respondis: "Gis sepdekoble sep fojoj, kaj eĉ pli. Ĉar kiel vi povas esperi, ke Dio pardonos al vi kiam vi faras malbone, se vi mem ne pardonas al aliaj?"

구세주는 그 아이를 즉각 치료해주고는 제자들을 향해 돌아서, 자신이 바랐던 것만큼 자신을 믿지 못하기 때문에 그 아이를 치료할 수 없었다고 말했지.

한번은 제자들이 그분에게 물었단다.
"주여, 하늘 나라에서 누가 가장 큰 자입니까?"
예수는 작은 아이 하나를 부르더니 자신의 팔로 안아 제자들 가운데 세우고 "이 같은 아이다. 내가 말하건대, 아이들처럼 자기를 낮추는 사람이 아니면 아무도 천국에 갈 수 없다. 누구든지 나의 이름으로 아이를 접대하는 사람은 나를 접대하는 것이다. 그러나 누구든지 아이들 중에 그 어떤 아이에게라도 해를 입히면 그 사람은 목에 맷돌을 달아 깊은 바다에 빠뜨리는 일을 당하는 것이 차라리 나을 것이다. 천사들은 모두 아이들이다."

구세주는 모든 아이를 사랑하셨단다. 아니, 온 세상을 사랑했지. 그분이 했던 것처럼 모든 사람을 그토록 친밀하고 진정한 마음으로 사랑했던 사람은 여태껏 아무도 없었단다. 베드로가 그분에게 물었단다.
"주여, 누가 저를 화나게 했을 때 그 사람을 몇 번 용서해야 합니까? 일곱 번입니까?"

구세주가 대답했지.
"일곱 번의 일흔 배를 용서하고도 더 용서하라. 네가 다른 모든 사람들을 용서하지 않는다면 네가 잘못을 저질렀을 때 어떻게 하나님이 용서해주기를 바랄 수 있겠느냐!"

Kaj li diris al siaj disĉiploj la jenan rakonton. Li diris, ke iam estis servisto, kiu ŝuldis al sia mastro multe da mono, kaj ne povis ĝin repagi. Pro tio, la mastro, estante tre kolera, intencis vendi la serviston kiel sklavon. Sed ĉar la servisto genuiĝis, kaj petis pardonon kun granda malĝojo, la mastro pardonis al li la ŝuldon. Nu, tiu sama servisto trovis kunserviston, kiu ŝuldis al li cent denarojn, sed anstataŭ esti kompatema kaj pardonema al tiu kompatinda viro, kiel lia propra mastro jam estis al li, li metis la viron en malliberejon pro la ŝuldo.

Kiam la mastro aŭdis pri tio, li iris al la servisto kaj diris : "Vi malbona servisto! Mi pardonis al vi. Kial do vi ne pardonis al via kunservisto?" Kaj ĉar li ne faris tion, lia mastro lin forsendis en granda mizero. "Nu," diris nia Savanto "kiel vi povas atendi, ke Dio pardonos vin, se vi mem ne pardonas aliajn?". Tio estas la signifo de tiu parto de la Preĝo de la Sinjoro en kiu ni petas "Pardonu al ni niajn ŝuldojn" - tiu vorto signifas kulpojn -, "kiel ni pardonis al niaj ŝuldantoj".

KAJ li diris al ili alian rakonton. Iam estis farmisto, kiu havis vinberĝardenon.

그분은 제자들에게 이러한 이야기를 해주었단다.
"주인에게 많은 빚을 진 하인이 하나 있었다.
그 사람은 그 빚을 도저히 갚을 수 없었다.
주인은 너무 화가 나서 하인을 노예로 팔려고 했다.
하인이 무릎을 꿇고는 슬픔에 잠겨 주인에게 용서를 구하므로 주인이 그 빚을 탕감했다.

그런데 바로 이 하인에게 1백 펜스의 빚을 진 동료 하인이 있었다.
이 하인은 자기 주인이 자신에게 친절하게 용서를 베풀었던 것과 달리 자기 동료를 감옥에 가두었다.

이 이야기를 들은 그의 주인이 그에게 가서 말했다.
'이 못된 하인 녀석아, 나는 너를 용서했다. 너는 왜 너의 동료를 용서하지 않았느냐!'
주인은 그 하인이 그렇게 하지 않았다는 이유로 커다란 고통을 안긴 채 그 하인을 쫓아내버렸다.
이러하듯, 너희가 다른 사람들을 용서하지 않는다면 어떻게 하나님이 너희를 용서하리라고 기대할 수 있겠느냐!"

이것은 주기도문 가운데 '우리가 우리에게 죄 지은 자를 사하여 준 것같이 우리 죄를 사하여 주시고'라는 구절을 의미하는 것이란다.

그분은 또 다른 이야기를 그들에게 들려주었어.
"포도밭을 갖고 있는 농부가 있었다.

Li eliris frue en la mateno, kaj kontraktis kun kelkaj laboristoj, ke ili laboru en la ĝardeno la tutan tagon, po unu denaro. Kelkajn horojn poste li eliris denove, kaj dungis pluajn laboristojn por la sama prezo; kaj poste li eliras kaj faris same; kelkajn fojojn, ĝis la posttagmezo. La tago finiĝis, kaj ĉiuj venis por ricevi sian pagon.

Tiam la laboristoj kiuj laboris la tutan tagon plendis, ke la viroj kiuj ne komencis labori ĝis malfrue en la tago ricevis la saman sumon kiel ili mem; kaj ili diris, ke tio ne estas justa. Sed la farmisto diris "Amikoj, mi kontraktis pagi al vi po unu denaro. Ĉu do ĝi estas malpli valora al vi, pro tio, ke mi donis al alia homo same, kiel al vi?"

Per tio nia Savanto celis instrui, ke tiu, kiu bone faris dum la tuta vivo, iros al la ĉielo post sia morto. Sed ankaŭ, ke se iu estis peka pro mizero, aŭ pro tio, ke li ne havis gepatrojn aŭ amikojn por lin prizorgi en la juneco, kaj se li tamen vere bedaŭras sian malbonan vivon kiom ajn malfrue, kaj preĝas ke Dio lin pardonu, li estos pardonita, kaj ankaŭ li iros al la ĉielo.

그는 아침 일찍 나가 1페니를 받고 하루종일 일하는 조건으로 일꾼 몇 사람을 고용했다.

시간이 조금 흐르자 그는 같은 조건으로 일꾼을 몇 사람 더 고용했으며, 오후가 될 때까지 몇 번이나 거듭하여 일꾼을 고용했다.

하루가 다 지나고 모두 돈을 받을 때가 되었다.

아침부터 일한 사람들이 늦게부터 일을 시작한 사람들과 자신들이 같은 액수의 돈을 받는다는 것에 불평을 터뜨리며 그것은 불공정하다고 말했다.

그러자 주인이 '친구여, 나는 그대들에게 1페니를 주기로 약속하지 않았는가! 내가 다른 사람에게 같은 돈을 준다고 그 돈이 당신에게 적은 것인가?' 하고 말했다."

구세주는 그들에게 이것을 가르쳐주려 했던 것이란다.

곧 일생 동안 착한 일을 한 사람들은 죽어서 천국에 가지만, 생활이 어렵다거나 어렸을 때 자신을 돌보아줄 부모나 친구가 없어 죄를 지은 사람일지라도 늦게나마 그것을 진정으로 참회하고 하나님에게 용서를 구한다면 그 사람도 용서를 받고 천국에 가게 되리라는 것을 말이다.

Jesuo instruis la disĉiplojn per tiaj rakontoj, ĉar li sciis, ke la homoj amis aŭdi ilin, kaj ke ili memoros lian instruon pli bone, se li instruost tiumaniere. Tiaj rakontoj estas nomitaj Paraboloj - LA PARABOLOJ DE NIA SAVANTO. Mi deziras, ke vi memoru tiun vorton, ĉar baldaŭ mi rakontos al vi pluajn parabolojn.

La aŭdantoj aŭskultis al ĉio, kion nia Savanto diris, sed ili ne konsentis inter si pri li. La Fariseoj kaj la Judoj parolis al kelkaj el ili kontraŭ li, kaj kelkaj inklinis fari al li malbonon, kaj eĉ lin murdi. Sed ili ankoraŭ timis fari ion kontraŭ li. Li estis tiel bona, kaj li aspektis tiel dia kaj majesta — kvankam li estis vestita tre simple kaj malriĉe -, ke ili apenaŭ kuraĝis renkonti lian rigardon.

Unu matenon li sidis en loko nomita la Monto Olivarba, instruante. La homoj kolektiĝis ĉirkaŭ li, aŭskultante, kaj lernante atente. Subite aŭdiĝis granda bruo, kaj amaso da Fariseoj kun aliaj homoj nomitaj Skribistoj alkuris kun granda kriado, tirante kun si pekintan virinon. Ili ĉiuj kriis kune "Majstro! Rigardu tiun virinon. La leĝo diras, ke oni ĵetu ŝtonojn sur ŝin, ĝis ŝi mortos.

그분은 이러한 이야기를 통해 제자들을 가르쳤단다. 그분은 사람들이 그러한 이야기를 듣고 싶어한다는 것을, 또 자신이 그러한 방식으로 이야기하면 사람들이 더 잘 기억한다는 것을 알고 있었기 때문이지.

그러한 것들을 사람들은 비유, 구세주의 비유라고 한단다. 너희가 이 말을 기억해두었으면 좋겠어. 앞으로 너희에게 여러 비유를 들려줄 테니까.
사람들은 구세주가 말한 모든 이야기를 들었어. 그러나 그들이 모두 그분의 이야기에 동의한 것은 아니었단다.
바리새인들과 유대인들은 서로 그분에 대해 욕을 하고 일부는 그분에게 해를 가하려 했으며, 심지어 그분을 살해하려는 사람도 있었지. 하지만 그들은 아직 그분에게 해를 입히기 두려워했어. 그분의 선함 때문에, 비록 가난한 사람들처럼 아주 허름한 옷을 입었어도 그분의 모습이 너무 신성해 보이고 숭고해 보여 감히 그분의 눈과 마주칠 수조차 없었단다.

어느 날 아침, 그분은 감람 산에 앉아 가르치셨어. 그분 주위에 모인 무리가 이야기를 진지하게 듣고 배웠지.
그때였단다.
시끌벅적한 소리가 들려오더니 한 무리의 바리새인들이 율법학자들과 함께 고함치며 달려왔어. 그들은 부정한 일을 저지른 여인 하나를 끌고 와서 이렇게 외쳐댔지.
"주여! 이 여인을 보십시오. 율법은 이 여인을 죽을때까지 돌로 치라고 합니다.

Sed vi-kion vi diras?"

Jesuo rigardis la bruan amason atente. Li sciis, ke ili esperas igi lin diri, ke la leĝo estas malbona kaj kruela; kaj ke se li tion diros, ili akuzos lin pri tio, kaj mortigos lin.

Dum li rigardis en iliajn vizaĝojn, ili sentis honton kaj timon: tamen ili ankoraŭ kriis "Nu! Kion diras vi, Majstro? Kion diras vi?"

JESUO sin klinis, kaj en la sablo sur la tero skribis per sia fingro "Kiu el vi estas senpeka, tiu estu la unua, ĵeti ŝtonon sur ŝin". Kiam ili legis tion, rigardante super la ŝultroj unu de aliaj, kaj kiam li ripetis la vortojn al ili, ili foriris, unu post alia, hontante, ĝis restis tie neniu el la tuta brua amaso.

Restis sole Jesuo Kristo kaj la virino, kaj ŝi kaŝis la vizaĝon en siaj manoj.

Tiam Jesuo Kristo diris: "Virino, kie estas viaj akuzintoj? Ĉu neniu vin kondamnis?" Ŝi respondis, tremante "Neniu, Sinjoro". Tiam la Savanto diris: "Ankaŭ mi ne kondamnas vin. Iru, kaj ne peku plu".

하지만 당신이라면 무엇이라고 말하겠습니까?”

예수는 그 시끄러운 군중을 빤히 쳐다보았단다. 그분은 군중이 자신에게 법이 잘못되었고 잔인하다고 말하게 만들려고 왔다는 것과, 만일 그렇게 말한다면 그들이 자신에게 책임을 지게 하고 자신을 죽일 것이라는 사실을 눈치챘어. 그분이 자신들의 얼굴을 들여다보자 그들은 부끄럽기도 했고 무섭기도 했지만, 여전히 큰 소리로 말했지.

“이리 와보십시오. 주여, 무엇이라 말하겠습니까? 무엇이라 말하겠습니까?”

아래로 내려선 예수는 손가락으로 땅 위의 모래에 이렇게 썼어. ‘그대들 가운데 죄를 짓지 않은 자가 있으면, 저 여인에게 첫 돌을 던져라.’

이 글을 읽자 사람들은 서로 어깨 너머로 쳐다보기만 했단다. 그분이 그것을 다시 말로 하니 그들은 부끄러운 나머지 하나씩 가버려, 마침내 그곳에는 시끄러웠던 군중 가운데 한 사람도 남지 않았지.

그러자 예수 그리스도와 손으로 얼굴을 가린 여인만 남게 되었어.

예수 그리스도가 말했단다.

“여인아, 그대를 고발했던 자들은 어디에 있느냐? 그대를 비난했던 자가 아무도 없느냐?”

여인이 떨며 대답했어. “그렇습니다, 주여!”

구세주가 말했단다.

“그렇다면 나도 그대를 비난하지 않으니, 가거라! 그리고 앞으로는 더 이상 죄를 짓지 말라.”

LA SEPA ĈAPITRO

DUM nia Savanto sidis, instruanta la homojn, kaj respondanta iliajn demandojn, iu leĝisto stariĝis, kaj diris "Majstro, kion mi faru, por revivi en feliĉo post mia morto?" Jesuo diris al li "La unua el la ordonoj estas : 'La Eternulo, nia Dio, estas unu: amu la Eternulon, vian Dion, per via tuta koro, kaj per via tuta animo, kaj per via tuta menso, kaj per via tute forto'. Kaj la dua similas al gi: 'Amu vian proksimulon kiel vin mem'. Ne estas alia ordono pli granda, ol tiuj".

Tiam la leĝisto diris : "Sed kiu estas mia proksimulo? Diru al mi, por ke mi sciu". Jesuo respondis per la jena parabolo.

"Iam" li diris "estis vojaĝanto, kiu malsupreniris de Jerusalem al Jeriĥo. Li falis en la manojn de rabistoj; kaj ili forrabis de li la vestaĵojn, kaj batis lin, kaj foriris, lasante lin duone senviva sur la vojo. Dum la kompatinda viro kuŝis tie, iu Pastro okaze iris tiun vojon. La Pastro vidis lin, sed ne atentis al li, kaj preterpasis aliflanke. Alia viro, Levido, venis al la loko. Ankaŭ li vidis la viron; sed nur rigardis lin momente, kaj tiam li ankaŭ preterpasis.

제7장   강도만난 자의 이웃

구세주가 앉아서 사람들에게 가르침을 주고 그들의 질문에 응답할 때 어느 율법학자가 일어나 말했어.

"주여, 제가 만일 죽은 뒤에도 다시 행복하게 살려면 어떻게 해야 합니까?"

예수가 그에게 말했단다.

"모든 율법서의 첫 글에는 우리 주 하나님은 유일하시다고 되어 있다. 그대는 그대의 온 가슴과 영혼을 바쳐, 그리고 온 마음과 온 힘을 바쳐 주 하나님을 믿어야 한다. 두 번째 글 또한 이와 비슷하다. 그대는 자신처럼 이웃을 사랑하라. 이것보다 더 위대한 율법은 없다."

율법학자가 말했지.

"하지만 나의 이웃은 '지금' 누구입니까? 내가 알아야 할 것을 말해주십시오."

예수는 이러한 비유로 대답했다.

"옛날에 한 여행자가 예루살렘 성에서 여리고 성까지 여행하다가 도적들의 소굴에 빠진 적이 있었다. 그들은 옷을 강제로 빼앗고 상처를 입힌 다음 길거리에 버린 채 달아나버렸다. 그가 그곳에 누워 있는 동안 우연히 그 길을 지나가던 사제 한 사람이 그를 보았지만 주의를 기울이지 않고 다른 길로 가버렸다.

또 레위 사람 하나가 길을 지나가다 그 사람을 바라보더니 그냥 지나쳐버렸다.

Sed iu Samariano, vojaĝante sur tiu vojo, vidis lin, kaj tuj kompatis al li. Li bandaĝis liajn vundojn, kaj surverŝis oleon kaj vinon, kaj metis lin sur la beston kiun li mem rajdis, kaj kondukis lin al gastejo. La proksiman matenon li prenis du denarojn el sia poŝo, kaj donis ilin al la gastejestro, dirante 'Zorgu pri li; kaj kion pli vi elspezos, tion mi repagos al vi, kiam mi revenos'. Nu, kiuj el tiuj tri, laŭ via opinio," diris nia Savanto al la leĝisto "sin montris proksimulo de tiu, kiu falis en la manojn de la rabistoj?" La leĝisto respondis "Tiu, kiu bonfaris al li". "Vere!" respondis nia Savanto. "Iru vi, kaj faru same. Estu kompata al ĉiu homo. Ĉar ĉiu homo estas via proksimulo kaj frato."

KAJ li diris al ili la jenan parabolon, kiu instruas, ke ni neniam estu fieraj antaŭ Dio, aŭ pensu nin tre bonaj, sed ke ni ĉiam estu humilaj. Li diris : "Kiam oni invitas vin al edziĝa festo, ne sidiĝu en la ĉefa loko; ĉar povas okazi, ke iu pli honorinda ol vi venos, kaj postulos tiun sidlokon. Sed sidiĝu en la plej malalta loko, kaj se vi ĝin meritas, oni proponos al vi pli bonan. Ĉar ĉiu, kiu sin altigas, estos humiligita; kaj kiu sin humiligas, tiu estos altigita".

그런데 그 길을 따라 여행하던 어느 사마리아인은 그 사람을 보자마자 깊은 동정심을 느껴 상처를 유약과 포도주로 치료해준 뒤 자신이 타고 왔던 가축에 태워 여관으로 데리고 갔다. 다음날 아침 그는 자신의 주머니에서 2펜스를 꺼내 여관집 주인에게 주며 말했다.

'이 사람을 돌보아주십시오. 그리고 만일 돈이 더 든다면 여기 다시 올 때 드리겠습니다.'

이 세 사람 가운데 누가 도적 소굴에 빠졌던 사람의 이웃이라고 할 수 있느냐?"

예수께서 묻자 율법학자가 대답했단다.

"그에게 동정을 베푼 사람입니다."

구세주가 말했어.

"맞다. 그대도 가서 이와 같이 행하라! 모든 사람들에게 동정을 베풀라! 모든 사람이 그대의 이웃이자 형제니라."

그분이 그들에게 이 비유를 말했을 때, 그 의미는 우리가 하나님 앞에서 자랑하거나 스스로를 아주 착하다고 생각해서는 결코 안 되며 언제나 겸손해야 한다는 것이란다.

그분은 말했지.

"그대가 잔치나 결혼식에 초대받았을 때 가장 좋은 자리에 앉지 말라. 좀더 존경받는 사람이 앉도록 하기 위해서니라. 대신 가장 낮은 자리에 앉도록 하라. 만일 그대에게 자격이 있다면 더 좋은 자리가 배정되리라. 자신을 높이는 사람은 누구든지 낮은 취급을 받을 것이며, 자신을 낮추는 사람은 누구든지 높임을 받을 것이기 때문이니라."

Li diris al ili ankaŭ ĉi tiun parabolon. Iu viro pretigis grandan vespermanĝon, kaj invitis multajn homojn, kaj elsendis sian serviston por diri al ili "Venu, ĉar ĉio estas preta". Ĉe tio ili komencis fari ekskuzojn. Unu diris, ke li aĉetis kampon, kaj devas eliri por ĝin vidi. Alia, ke li aĉetis kvin jugojn da bovoj, kaj devas iri por ilin provi. Alia, ke li ĵus edziĝis, kaj ne povas veni. Kiam la viro aŭdis tion, li koleris, kaj ordonis al la servisto, ke tiu iru sur la stratojn kaj irejojn de la urbo, kaj inter la heĝojn, kaj invitu la malriĉulojn kaj lamulojn kaj kriplulojn kaj blindulojn anstataŭe.

Per tio nia Savanto intencis instrui, ke tiu, kiu estas tiel okupata per siaj profitoj kaj plezuroj, ke li ne povas atenti pri Dio kaj pri bonfarado, ne trovos ĉe li tian favoron, kian trovos la malsanaj kaj mizeraj.

Okaze nia Savanto estis en la urbo Jeriĥo. Tie estis viro nomita Zakĥeo, kiu deziris vidi Jesuon, kaj ne povis, ĉar li estis malgranda: do li supreniris sur arbo por lin vidi. Oni malŝatis Zakĥeon, kaj nomis lin pekulo. Sed Jesuo vidis lin en la arbo, kaj vokis al li, dirante ke li iros kaj manĝos kun li tiutage en lia domo.

그분은 또 이러한 비유를 그들에게 말해주었어.

"성대한 저녁상을 차려놓은 어떤 사람이 많은 사람들을 초대하고, 또 저녁상이 다 준비되었을 때 하인들을 사람들에게 보내어 '모든 준비가 끝났으니 오시오' 라고 말하도록 했다.

사람들은 구실을 댔다.

한 사람은 자신이 한 필지의 땅을 샀기 때문에 그것을 보러 가야 한다고 말했고, 다른 한 사람은 수소 다섯 쌍을 산 까닭에 그것들에게 일을 시켜봐야 한다고 했으며, 또 다른 한 사람은 방금 결혼했기 때문에 올 수 없다고 말했다. 이 소리를 들은 집 주인은 화가 났다. 그러고는 하인들에게 이르기를, 거리와 성내 출입구와 울타리 사이로 나가 가난하고 절고 불구에 보지 못하는 사람들을 대신 저녁에 초대하라고 시켰다."

구세주가 이 비유를 그들에게 말할 때 뜻했던 것은 자신의 이익을 위해서든, 하나님을 생각하는 기쁨에 빠져서든, 선한 일을 하느라고 그래서든 바쁜 사람은 병자나 불쌍한 사람들만큼 그분의 총애를 얻지 못하리라는 것이란다.

구세주가 여리고 성에 있을 때 이런 일이 있었단다. 삭개오라는 사람이 예수님을 뵙고 싶었으나 키가 작아서 볼 수 없어 예수님을 보려고 나무에 올라갔어. 사람들은 삭개오를 미워했고 죄인이라고 불렀지.

그러나 예수 그리스도는 나무 위의 그를 보고 불러 그날은 그의 집에 가서 함께 식사를 하겠노라고 말했단다.

Kiam la fieraj skribistoj kaj Fariseoj tion aŭdis, ili murmuris inter si, dirante "Li manĝas ĉe pekulo". Respunde al tiu, Jesuo rakontis jenan parabolon, kiun oni ordinare nomas LA PARABOLO PRI LA MALŜPAREMA FILO.

"IAM estis viro," li diris al ili "kiu havis du filojn. Unu tagon la pli juna el ili diris 'Patro, donu al mi mian parton de via havo nun, kaj permesu, ke mi faru per ĝi kion ajn mi volos'. La patro konsentis, kaj la filo forvojaĝis kun sia mono en malproksiman landon, kaj baldaŭ elspezis la tuton per malbona vivado.

Kiam li elspezis ĉion, venis tempo de granda aflikto kaj malsato tra la tuta lando. La pano tute mankis ; la greno, kaj la herbo, kaj ĉio kreskanta en la tero, sekiĝis kaj forvelkis. La malsaĝa filo estis tiel malfeliĉa kaj malsata, ke por gajni iomete da mono li konsentis paŝti porkojn sur la kampoj. Tre feliĉe li estus manĝinta eĉ la karobojn, kiujn manĝis la porkoj, sed lia mastro nenion donis al li. Kiam li estis en tiu mizera stato, li diris al si: 'Kiom multaj el la servistoj de mia patro havas panon abunde, dum mi pereas ĉi tie de malsato!

바리새인들과 율법학자들처럼 거만한 사람들은 이 이야기를 듣고는 자기들끼리 수군댔어.

"그분이 죄인과 함께 식사를 하시다니."

예수는 그들에게 다음과 같은 비유를 들려주었지.

이것을 사람들은 '탕자의 비유'라고 한다.

"한 사람이 있었다. 그에게는 두 아들이 있었는데, 하루는 작은 아들이 말했다.

'아버지, 이제 아버지의 재산 가운데 제 몫을 주시어, 제가 하고 싶은 일을 하도록 해주십시오.'

아버지는 그 요청을 받아들였고, 그는 그 돈을 가지고 먼 나라로 여행했으며 머지 않아 그 돈을 모두 방탕한 생활을 하는 데 써버렸다.

그가 그 돈을 다 썼을 즈음, 그 나라는 온통 큰 재난과 기근에 빠지게 되었다. 그리하여 그때는 빵도 남아 있지 않고, 곡식과 풀과 땅 위에서 자라는 모든 것들이 말라버리고 황폐해졌다.

이 탕자는 너무나 힘겹고 배고파서 들에 나가 돼지 치는 일을 하는 종이 되었다. 그는 돼지들이 먹는, 몹시 거친 쥐엄나무 열매라도 먹었으면 좋겠다고 생각했지만 주인은 그에게 아무것도 주지 않았다.

이렇듯 재난을 당하자 그는 혼자 중얼거렸다.

'내가 배고픔으로 죽어가는 동안, 아버지의 하인들은 얼마나 풍족하게 빵을 먹고, 또 남기기까지 하겠는가?'

Mi leviĝos, kaj iros al mia patro, kaj diros al li "Patro! mi pekis kontraŭ la ĉielo kaj antaŭ vi, kaj mi jam ne meritas esti nomata via filo!'"

"Do li reiris kun granda doloro kaj malĝojo kaj malfacilo al la domo de sia patro. Kiam li estis ankoraŭ malproksima, lia patro lin vidis, kaj malgraŭ lia ĉifona kaj malfeliĉa stato rekonis lin, kaj kuris al li, kaj falis sur lian kolon, kaj lin kisadis.

Li ordonis al siaj servistoj, ke ili vestu tiun kompatindan pentantan filon per la plej bona vestaĵo, kaj pretigu grandan festenon por festi lian revenon. Tion ili faris, kaj oni komencis esti gajaj.

"Sed la pli aĝa filo laboris sur la kampo, kaj nenion sciis pri la reveno de lia frato. Kiam li venis al la domo, kaj aŭdis la muzikon kaj dancadon, li vokis al si unu el la servistoj, kaj demandis al li 'Kio okazas?'. La servisto respondis, ke lia frato revenis hejmen, kaj ke lia patro ĝojas pro tio. Tiam la pli aĝa frato koleris, kaj ne volis eniri; do la patro, aŭdante pri tio, eliris por peti lin enveni.

당장 일어나 아버지에게 가서 말해야겠다.

'아버지, 저는 하늘과 아버지에게 죄를 지었습니다. 저는 이제 더 이상 아들 자격이 없습니다.'

결국 그는 커다란 고통과 슬픔과 어려움을 안은 채 아버지의 집으로 돌아왔다. 그가 아직 멀리 있을 때, 아버지가 그를 보았다. 누더기 옷에 비참한 몰골로 왔음에도 아들을 알아보고 아버지는 그에게 달려가 흐느끼며 목을 끌어안고 입맞춤을 했다.

그리고는 하인들에게, 참회하는 아들에게 가장 좋은 옷을 입히고 그가 돌아왔음을 축하하는 큰 잔치를 벌이라고 했다. 지시한 대로 일이 이루어지고 그들은 모두 즐거워하기 시작했다.

하지만 들에 있어서 동생이 돌아온 줄 몰랐던 형은 집으로 돌아오다가 시끌벅적한 소리와 음악이 들리자 하인 하나를 불러 무슨 일이냐고 물었다.

하인은 그의 동생이 돌아왔으며, 그의 아버지가 그 일로 기뻐하고 있다고 대답했다.

이에 형은 화가 나서 집으로 들어가지 않으려 했다. 그런 사정을 전해들은 아버지는 밖으로 나가 큰아들을 설득하려 했다.

"'Patro!' diris la pli aĝa frato 'Vi ne traktas min juste, montrante tiom da ĝojo pro la reveno de mia frato. Jam multe da jaroj mi restis kun vi, kaj obeadis al vi; tamen por mi vi neniam ordonis festenon. Sed nun, kiam revenas ĉi tiu via filo, kiu estis peka, kaj malŝpara, kaj misuzis sian monon, vi estas plena da ĝojo, kaj la tuta domanaro festas.' 'Filo!' respondis la patro 'Vi estas ĉiam kun mi, kaj ĉio mia estas via. Sed ni kredis, ke via frato mortis, kaj jen! li vivas. Li estis perdita, kaj estas nun trovita. Estas do nature kaj prave, ke ni ĝoju pro lia neatendita reveno al la malnova hejmo.'"

Per tio nia Savanto deziris instrui, ke tiuj, kiuj agis malbone, kaj forgesis Dion, ĉiam ricevos de li bonvenigon kaj pardonon, se nur ili revenos al li kun sincera bedaŭro pro la peko farita.

NU, la Fariseoj ricevis tiujn lecionojn de nia Savanto malŝate, ĉar ili estis riĉaj kaj avidaj, kaj kredis sin pli bonaj ol la cetero de la homaro. Kiel averton al ili, Kristo rakontis la jenan parabolon : PRI LA RIĈULO KAJ LAZARO.
"Estis iam riĉulo, kiu estis vestita per purpuro kaj delikata tolo, kaj festis lukse ĉiutage.

그러자 형이 말했다.

'아버지, 동생이 돌아온 것에 그렇게 기뻐하시는 것을 보니 저희를 올바로 대해주지 않으시는군요. 여러 해 동안 저는 줄곧 아버지 곁에 있었고, 순종했습니다. 그래도 아버지는 저를 위해 한 번도 잔치를 열어주지 않으셨습니다. 그런데 나쁜 짓을 하며 낭비하고 돈을 다 써버린 동생이 돌아오자 아버지는 무척 기뻐하시고 온 집안은 즐거워하고 있습니다.' 이에 아버지는 '아들아, 너는 언제나 나와 함께 있었으며, 내가 갖고 있는 모든 것이 너의 것이다. 하지만 우리는 네 동생이 죽었다고 생각했는데, 이렇게 살아 돌아왔지 않느냐. 잃어버렸던 동생을 이제 찾지 않았느냐. 뜻하지 않게 동생이 옛집으로 돌아온 것에 우리가 기뻐하는 것은 자연스럽고도 올바른 일이다' 라고 말했다."

이를 통해 구세주는 잘못을 저지르고 하나님을 잊었던 사람일지라도 죄를 회개하며 돌아오기만 한다면 늘 그들을 환영할 것이며, 자비를 얻을 것이라는 사실을 가르치려는 마음이었단다.

그런데 바리새인들은 구세주의 이러한 가르침을 싫어했어. 그들은 부유하고 탐욕스러우며 스스로 모든 인류 가운데 가장 우수하다고 생각했기 때문이지. 그들에게 경고하는 의미에서 그리스도는 '부자와 나사로의 비유'를 들려주었단다.

"고급 천으로 만든 자줏빛 옷을 입고 날마다 사치스러운 음식을 먹는 어느 부자가 있었다.

Estis ankaŭ almozulo nomita Lazaro, kiun oni kuŝigis apud lia pordego. Li estis kovrita de ulceroj, kaj deziris esti nutrata per la panpecetoj falintaj de la tablo de la riĉulo. Eĉ venis la hundoj, kaj lekis liajn ulcerojn.

Post kelka tempo la almozulo mortis, kaj la anĝeloj portis lin sur la sinon de Abraham (Abraham estis tre bona viro, kiu vivis multajn jarojn antaŭe, kaj estis tiam en la ĉielo). La riĉulo ankaŭ mortis, kaj estis enterigita. Kaj en Hades li levis siajn okulojn, estante en turmentoj, kaj vidis Abrahamon malproksime, kaj Lazaron. Kaj li ekkriis, kaj diris: 'Patro Abraham! Kompatu min, kaj sendu Lazaron, por ke li trempu la pinton de sia fingro en akvon por malvarmigi mian langon; ĉar mi tre suferas en ĉi tiu flamo'. Sed Abraham diris 'Filo! Memoru, ke dum via vivo vi ricevis bonaĵojn, kaj Lazaro malbonaĵojn. Sed nun li ricevas konsolon, kaj vi suferas'."

Kaj inter aliaj paraboloj Kristo diris al tiuj samaj Fariseoj, pro ilia malhumileco, ke du homoj supreniris en la Templon, por preĝi. Unu el ili estis Fariseo, kaj la alia impostisto.

한편 온몸이 상처투성이이고 부자의 식탁에서 떨어지는 작은 음식 부스러기라도 먹었으면 하는, 나사로라는 거지가 부자의 집 문 앞에 누워 있었다. 게다가 개가 와서 그의 아픈 상처를 핥아댔다.

거지가 죽자 천사들이 거지를 아브라함(아브라함은 그 시대보다 훨씬 이전에 살았고, 지금은 천국에 사는 아주 선한 사람이다)의 품으로 데리고 갔다.
그런데 부자도 죽어 묻혔다.
지옥에 떨어져 고문까지 받은 그는 눈을 들어 멀리 떨어져 있는 아브라함과 나사로를 보았다.
그는 울며 외쳤다.
'아버지 아브라함이시여, 저에게 자비를 베풀어주십시오 그리고 나사로를 보내어 그의 손가락 끝에 물을 묻혀 제 혀를 서늘하게 해주십시오. 저는 불꽃 속에서 고문을 받았습니다.'
그러나 아브라함은 '아들아, 네가 살아있을 때 받았던 좋은 것들을 생각해보라. 마찬가지로 나사로가 받았던 불행한 일들을 생각해보라. 하지만 이제 그는 위로를 받고 있으며, 너는 고문을 받고 있다' 라고 말했다."

그리스도는 바로 이 바리새인들이 너무 교만하여 그들에게, 다른 여러 비유들 가운데 기도를 드리기 위해 성전에 올라간 적이 있는 두 사람에 관한 이야기를 해주었단다.
그 가운데 한 사람은 바리새인이고 다른 사람은 세리(稅), 즉 세금을 거두는 관리였어.

La Fariseo diris "Dio, mi vin dankas, ke mi ne estas maljusta, kiel la ceteraj homoj, aŭ malbona, kiel tiu impostisto". Sed la impostisto, starante malproksime, ne volis eĉ levi la okulojn al la ĉielo, sed batadis sian bruston, kaj diris nur "Dio, estu favora al mi pekulo". Kaj Dio - diris nia Savanto - pravigis la impostiston pli ol la alian viron, kaj akceptis lian preĝon pli favore, tial ke li preĝis kun humila koro.

Kiam la Fariseoj aŭdis tiun instruon, ili estis tiel koleraj, ke ili elsendis spionojn, por fari al nia Savanto imformpetojn, kaj por insidi lin diri ion kontraŭ la leĝo. Nu, la Imperiestro de tiu lando, nomita Cezaro, ordonis, ke la popolo regule pagu al li tributan monon; kaj li kruele agis kontraŭ iu ajn, kiu disputis lian rajton al ĝi. Pro tio la spionoj pensis, ke eble ili povos igi nian Savanton diri, ke tiu pago ne estas justa, kaj ke tiumaniere li sin venigos sub la malfavoron de la Imperiestro. Do, ŝajnigante sin tre humilaj, ili venis al li kaj diris: "Majstro, ni scias, ke vi instruas laŭ vero la vojon de Dio, kaj ne respektas personojn laŭ ilia havo aŭ alta rango. Diru al ni, ĉu estas juste, ke ni donu tributon al Cezaro?"

바리새인이 말했다.

"하나님, 저는 제가 다른 사람들만큼 부당하지 않고 이 세리만큼 나쁘지 않음에 당신께 감사를 드립니다!"

멀리 떨어져 있던 세리는 눈을 들어 하늘을 바라볼 생각도 못한 채 가슴을 치며 이렇게 말하기만 했다.

"하나님, 죄인인 저에게 자비를 베푸십시오."

그러자 하나님은 그들에게, 앞서의 사람보다 나중의 사람에게 더 자비를 베풀었고 그의 기도에 더 기뻐했으며, 그것은 그가 겸손한 마음으로 기도를 올렸기 때문이다, 라고 구세주가 말씀하셨지.

바리새인들은 이러한 가르침에 너무 화가 난 나머지 구세주에게 질문을 퍼부을 모사꾼 몇 사람을 고용하여 그분이 율법에 어긋나는 어떤 말을 하도록 해서 곤경에 빠뜨리려 했단다. 가이사라고 부르는 그 나라 황제는 사람들에게 정기적으로 세금을 납부하라고 명령했으며, 이에 대해 이러쿵저러쿵 반대하는 사람은 누구든지 잔인하게 처벌했지. 그래서 이들 모사꾼들은 구세주를 잘 꾀어 그것이 공정하지 못한 납부라고 말하게 만들어, 황제의 노여움을 사게 만들리라고 생각했어. 그들은 매우 겸손한 척하면서 그분에게 다가가 말했단다.

"주여, 당신은 하나님의 말씀을 올바르게 가르쳐주고 계십니다. 그리고 어떤 사람이 부유하다거나 높은 자리에 있다 하여 그를 존경하지 않습니다. 말씀해주십시오 우리가 가이사에게 바치는 세금이 율법의 이치에 맞는지를 말입니다."

Kristo, kiu sciis iliajn pensojn, respondis "Kial vi demandas tion? Montru al mi denaron". Ili tion faris. "Kies bildon kaj kies nomon ĝi surhavas?" li demandis al ili. Ili respondis "De Cezaro". "Do," li diris "donu al Cezaro la proprajon de Cezaro".

Ĉe tio ili lasis lin, sentante grandan koleron kaj ĉagrenon, ke ili ne sukcesis lin insidi. Sed nia Savanto sciis iliajn pensojn kaj korojn tiel bone, kiel li sciis ankaŭ, ke aliaj homoj konspiras kontraŭ li, kaj ke oni baldaŭ lin mortigos.

Dum li tiel instruadis, li sidis apud la Publika Monkesto. Pasante laŭ la strato, la homoj kutimis enĵeti monon en tiun keston, por la malriĉuloj; kaj dum Jesuo sidis tie, multaj riĉuloj, pasante, enmetis multe da mono. Fine venis malriĉa vidvino, kiu enĵetis du leptojn (lepto estis monereto preskaŭ senvalora), kaj tiam iris for silente. Vidinte ŝin fari tion, kiam li sin levis por foriri, Jesuo vokis al si la disĉiplojn, kaj diris al ili, ke tiu malriĉa vidvino estis pli vere donema, ol ĉiu alia, kiu donis monon tiutage; ĉar la aliaj estis riĉaj, kaj ne sentos la perdon de tio, kion ili donis; sed ŝi estis tre malriĉa, kaj fordonis la du moneretojn, per kiuj ŝi estus povinta aĉeti panon por sia manĝo.

이미 그들의 생각을 읽고 있던 그리스도가 대답했단다.

"그대는 왜 묻는가? 나에게 1페니를 줘보라."

그들이 그렇게 했지. 이어 그분이 그들에게 물었어.

"이 위에 누구의 모습과 누구의 이름이 새겨져 있느냐?"

그들이 대답했지.

"가이사입니다."

그분이 말했단다.

"그렇다면 가이사의 것을 가이사에게 돌려주어라."

그리하여 그들은 자신들이 그분을 곤경에 빠뜨리지 못한 것에 무척 화가 나고 실망하여 그 자리에서 사라지고 말았어. 하지만 구세주는 그들의 마음과 생각을 알 수 있었고, 다른 사람이 자신에게 해를 끼치는 음모를 꾸며 결국 자신이 머지 않아 죽임을 당하리라는 것도 알고 있었단다.

그분이 그들에게 이러한 가르침을 주는 동안 가까이에 헌금 상자가 있었어. 그것은 사람들이 길을 지나가면서 가난한 사람들을 위해 상자에 돈을 넣도록 놓여진 것이었지. 예수가 앉아 있는 동안 많은 부자들이 지나가면서 많은 액수의 돈을 넣었어.

마침내 어느 가난한 과부 한 사람이 와서 거의 보잘것없는 동전 두 개를 떨어뜨리고는 조용히 갔어. 그 여자의 행동을 본 예수는 그곳을 떠나려고 일어서면서 제자들을 불러 모아 말했단다. 그날 돈을 기부한 그 어떤 사람보다 그 과부가 진정으로 가장 인정이 많았다. 다른 사람들은 부유하여 기부한 것이 없어도 못 느끼지만 그녀는 매우 가난한데도 먹을 빵을 살 동전 두 개를 드린 것이니까.

Kiam ni kredas nin malavaraj, ni neniam forgesu tion, kion faris la malriĉa vidvino.

우리가 만일 우리 스스로를 인정이 많다고 생각한다면 그 가난한 과부가 한 일을 결코 잊지 말도록 하자.

LA OKA ĈAPITRO

ESTIS viro nomita Lazaro, el Betania, kiu tre malsaniĝis; kaj ĉar li estis la frato de tiu Maria, kiu ŝmiris Kriston per ŝmiraĵo kaj viŝis liajn piedojn per siaj haroj, ŝi kaj ŝia fratino Marta en granda aflikto sendis al li, dirante "Sinjoro! Lazaro, kiun vi amas, estas malsana, kaj verŝajne mortos".

Kiam Jesuo ricevis tiun mesaĝon, li restis ankoraŭ du tagojn en tiu sama loko. Tiam li diris al la disĉiploj "Lazaro mortis. Ni iru al Betania". Kiam ili alvenis tien (ĝi estis loko tre proksima de Jerusalem), ili trovis, kiel Jesuo antaŭdiris, ke Lazaro mortis, kaj ke li estis jam kvar tagojn en la tombo.

Kiam oni diris al Marta, ke Jesuo venas, ŝi leviĝis el inter la homoj venintaj por lamenti kun ŝi la morton de ŝia frato, kaj kuris al li renkonte, lasante sian fratinon Marion ploranta en la domo. Kiam Marta vidis Jesuon, ŝi ekploris, kaj diris: "Ho Sinjoro! Se vi estus ĉi tie, mia frato ne estus mortinta!" "Via frato releviĝos" diris nia Savanto.

"Mi tion scias kaj kredas, Sinjoro — ĉe la releviĝo en la lasta tago" diris Marta.

제8장   다시 산 나사로

베다니에 사는 나사로라는 사람이 있었는데, 그는 무척 몸이 아팠단다. 그는 향유를 그리스도의 몸에 발라주고 자신의 머리카락으로 발을 닦아준 적이 있는 바로 그 마리아의 오빠였지. 그녀와 그녀의 언니 마르다는 큰 걱정을 하면서 그분에게 사람을 보내어 이렇게 말했어.

"주여, 당신이 사랑하는 나사로가 앓고 있으며 거의 죽을 지경입니다."

이 전갈을 받은 지 이틀이 지나도록 예수는 그들에게 가지 않다가 제자들에게 말씀하셨어.

"나사로가 죽었다. 베다니에 가자."

(예루살렘 성에 아주 가까이 있는) 그곳에 간 그들은 예수의 예언대로 실제로 그가 죽었으며 묻힌 지 나흘이 되었다는 것도 알게 되었단다.

예수가 온다는 이야기를 들은 마르다는 문상하러 온 많은 사람들 틈에서 일어나, 흐느끼는 동생 마리아를 집에 남겨둔 채 만나러 달려나가 그분을 보자 울음을 터뜨리며 말했어.

"오 주여, 여기에 계셨더라면 오빠는 죽지 않았을 겁니다." 그러자 구세주가 대답했어.

"네 오빠는 다시 일어날 것이니라."

마르다가 말했지.

"저는 마지막 날 부활 때 그렇게 되리라는 것을 알고 또 그것을 믿습니다. 주여."

Jesuo diris al ŝi: "Mi estas la releviĝo kaj la vivo. Ĉu vi tion kredas?"

Ŝi respondis "Jes"; kaj kurinte reen al sia fratino Mario, diris al si, ke Kristo venis. Aŭdinte tion, Mario elkuris, sekvate de ĉiu, kiu estis lamentanta kun ŝi en la domo. Kiam ŝi venis tien, kie Jesuo estis, ŝi falis antaŭ liaj piedoj kaj ploris; kaj same faris la ceteraj. Jesuo tiom kompatis ilin en ilia malĝojo, ke li ankaŭ larmis. Tiam li diris "Kie vi lin kuŝigis?". Ili diris "Sinjoro, venu kaj vidu!"

LAZARO estis entombigita en kaverno, kaj sur ĝi kuŝis granda ŝtono. Kiam ĉiuj venis al la tombo, Jesuo ordonis, ke oni forprenu la ŝtonon, kaj oni tion faris. Tiam, levinte siajn okulojn, kaj preĝinte al Dio, li diris per laŭta kaj solena voĉo "Lazaro, elvenu!" Kaj la mortinta Lazaro, vivanta denove, elvenis inter ilin, kaj iris hejmen kun siaj fratinoj. Pro tiu vidaĵo, tiom timiga kaj kortuŝa, multaj ĉeestantoj kredis, ke Kristo estas ja la Filo de Dio, veninta por instrui kaj por savi la homaron. Sed aliaj kuris por rakonti ĉion al la Fariseoj; kaj de tiu tago (por malebligi, ke pluaj homoj kredu al li) la Fariseoj decidis inter si, ke necesas mortigi Jesuon.

이에 예수가 그녀에게 말했단다.

"나는 부활이요, 생명이다. 네가 이것을 믿느냐?"

그녀가 "예" 하고 대답했어. 마리아에게 달려가 그리스도가 왔다고 전했지. 이 말을 들은 마리아도 달려나왔어. 집에서 그녀와 함께 슬퍼하던 사람들도 모두 따라나갔단다. 그분을 보자 발앞에 쓰러져 흐느꼈으며, 다른 사람들도 모두 따라했어. 그들의 슬픔이 너무 측은해 그분 역시 흐느끼며 말했지.

"그를 어디에 눕혔느냐?"

그들이 말했어.

"주여, 이리로 와보십시오!"

그는 동굴에 묻혀 있었으며, 그 위에 아주 커다란 바위가 놓여 있었단다. 그들이 모두 오자 예수는 돌을 굴려 치우라고 지시했고, 사람들은 그렇게 했지. 그런 뒤 그분은 눈을 들어 위를 바라보고 하나님에게 감사드리며 크고 엄숙한 목소리로 말했어.

"나사로야, 앞으로 나오너라!"

그러자 죽은 나사로가 생명을 되찾아 사람들 가운데로 나오더니 누이들과 함께 집으로 돌아갔어. 이 광경에 깊은 외경심을 갖게 되고 감동을 받은 까닭에, 그곳에 있던 대부분은 예수가 인류에게 가르침을 주고 구원하러 온 진정한 하나님의 아들이라는 것을 믿게 되었단다.

한편 몇몇 사람들은 바리새인들에게 달려가 이 이야기를 해주었어. 그리하여 바리새인들은 사람들이 그분에 대하여 믿음을 갖지 못하도록 방해하는 한편 예수를 죽여야 한다고 결의했지.

Do - kunveninte en la Templo, por diskuti la aferon - ili interkonsentis, ke se Jesuo venos la Jerusalemon antaŭ Paska Festo, kiu tiam proksimiĝis, oni lin kaptu.

ESTIS jam ses tagojn antaŭ la Pasko, kiam Jesuo levis Lazaron el la morto; kaj vespere, kiam ili ĉiuj kune sidis ĉe manĝo, kun Lazaro inter ili, Mario leviĝis, kaj prenis funton da ŝmiraĵo (kiu estis tre altvalora kaj multekosta, kaj nomita nardaĵo), kaj ŝmiris la piedojn de Jesuo per ĝi, kaj unufoje denove viŝis liajn piedojn per siaj haroj; kaj la tuta domo pleniĝis de la agrabla odoro de la ŝmiraĵo. Judas Iskariota, unu el la disĉiploj, ŝajnigis koleron pri tio, kaj diris, ke oni estus povinta vendi la ŝmiraĵon por tricent denaroj kaj doni la monon al la malriĉuloj. Sed vere li diris tion nur tial, ke li portis la monujon, kaj (sen la scio de la aliaj tiutempe) estis ŝtelisto, kaj deziris akiri tiom da mono, kiom eble. De tiam li komencis serĉi rimedon por perfidi Kriston en la manojn de la ĉefpastroj.

TIAL, ke la Pasko okazos tre baldaŭ, Jesuo Kristo kun siaj disĉiploj iris antaŭen al Jerusalem.

그들은 또 일부러 성전에 모여 다가오는 유월절 축제 전에 예수가 예루살렘 성에 오면 사로잡자고 합의했단다.

예수가 나사로를 죽음에서 일으켜 세운 것은 유월절이 오기 엿새 전이었어.

그날 밤, 나사로를 가운데 두고 모두 둘러앉아 저녁을 먹을 때, 마리아가 일어나 (매우 달콤하고 비싼 나드) 향유를 1파운드 가져오더니 예수 그리스도의 발에 바르고 다시 한 번 그녀의 머리카락으로 닦아냈지.

그러자 집 안이 온통 향유의 상쾌한 향으로 가득했단다.

이에 열두 제자 가운데 한 사람인 가룟 유다는 화가 난 체하며, 그 향유가 3백 펜스나 되는 값으로 팔렸을 것이라며 그 돈을 가난한 사람에게 기부했어야 한다고 말했어.

그러나 실제로 그는 지갑을 가지고 있었고 (당시 다른 사람들에게 알려지지 않은) 도둑이었고 가능한 한 많은 돈을 갖고 싶었기 때문에 그렇게 말했던거야.

그는 이제 예수를 배신하여 대제사장들에게 예수를 넘길 음모를 꾸미기 시작했단다.

유월절 축제가 이제 코앞에 다가왔기 때문에 예수 그리스도는 제자들과 함께 예루살렘 성을 향해 떠나갔어.

Kiam ili proksimiĝis al la urbo, li montris al vilaĝo, kaj diris al du el la disĉiploj, ke ili iru tien, kaj ke ili trovos tie azeninon kun azenido, ligitajn al arbo, kaj ke ili konduku tiujn al li. Ili trovis la bestojn ĝuste laŭ la priskribo de Jesuo, kaj kondukis ilin al li; kaj Jesuo, rajdante sur la azenino, eniris Jerusalemon. Dum li iradis, granda homamaso kolektiĝis ĉirkaŭ li, kaj, sternante siajn vestojn sur la teron, kaj tranĉante branĉojn de la arboj por dismeti ilin sur lian vojon, ili kriis, dirante: "Hosana al la Filo de David!" (David estis granda Reĝo tie.) "Li venas en la nomo de la Eternulo! Jen Jesuo, la Profeto el Nazaret!".

Kaj kiam Jesuo iris en la Templon, kaj renversis la tablojn de la monŝanĝistoj (kiuj sidis tie senrajte, kaj kune kun viroj vendantaj kolombojn) dirante "La domo de mia patro estas domo de preĝo, sed vi faris ĝin kaverno de rabistoj" – kaj kiam la homamaso kaj la knaboj kriis en la Templo "Jen Jesuo la Profeto el Nazaret!" kaj rifuzis esti silentigitaj – kaj kiam la blindaj kaj la lamaj alvenis amase, kaj saniĝis de lia mano – tiam la ĉefpastroj kaj skribistoj kaj Fariseoj pleniĝis de timo kaj malamo al li.

그들이 성 가까이 갔을 때 그분은 어느 마을을 가리키더니 제자 두 사람에게 그곳에 가보라고, 그러면 새끼 당나귀와 함께 암컷 당나귀 한 마리가 나무에 묶여 있을 거라고 말했단다. 예수가 말한 곳에서 당나귀를 발견한 제자들은 그 것을 끌고 왔어. 그리고 예수는 암컷 당나귀를 타고 예루살렘 성으로 들어갔지. 그분이 가는 길을 따라 엄청난 인 파가 몰려와 옷을 땅에 깐다든지 나뭇가지들을 친다든지 하여 그분이 가는 길에 펼쳐놓았어.

그들은 소리치고 외쳐댔지.
"호산나! 다윗의 자손이여!"
(다윗은 위대한 왕이었다)
"주의 이름으로 오신 이분은 나사렛의 예언자 예수이시다!"

그리고 예수가 성전으로 들어갔을 때, 그분은 그곳에 불법적으로 앉아 있는 환전상의 탁상과 비둘기를 파는 사람들을 함께 걸어차며 말했단다.
"내 아버지의 집은 기도하는 집이니라. 그런데 너희는 이곳을 도둑의 소굴로 만들어버렸구나!"

그리고 사람들과 아이들이 성전에서 '이분은 나사렛의 예언자 예수이시다!' 하고 계속 소리치고, 조용하기를 거부했어. 또 눈먼 사람과 걷지 못하는 사람들이 군중 속에서 떼지어 나와 그분의 손으로 치료를 받자 제사장과 율법학자들과 바리새인들은 두려움과 증오로 가득했어.

Sed Jesuo ne ĉesis resanigi la malsanulojn kaj faradi bonon; kaj li iris al Betania kaj loĝis tie - ĝi estis loko tre proksima de la urbo Jerusalem, sed ekster ĝiaj muroj.

Unu nokton, en tiu loko, li leviĝis de la vespermanĝo ĉe kiu li sidis kun la disĉiploj, kaj preninte tukon kaj pelvon da akvo, lavis iliajn piedojn. Simon Petro, unu el la disĉiploj, ne deziris, ke Jesuo lavu liajn piedojn. Sed nia Savanto diris al li, ke li tion faris, por ke, memorante tion, ili ĉiam estu afablaj kaj amemaj unu al aliaj, kaj ne permesu inter si malhumilon aŭ malbonvolon.

Tiam li iĝis malgaja kaj malĝoja; kaj ĉirkaŭrigardante al la disĉiploj, li diris "Unu el vi ĉi tie min perfidos". Ili kriis, unu post alia. "Ĉu estas mi, Sinjoro?" "Ĉu estas mi?". Sed li respondis nur "Ĝi estas unu el la dek du, kiu trempas kun mi en la pladon". Unu el la disĉiploj, kiun Jesuo amis, tiumomente estis apud la sino de Jesuo, aŭskultante liajn vortojn. Simon Petro faris signon al tiu, ke li demandu, kiu estas la perfidonto. Jesuo respondis "Ĝi estas tiu, al kiu mi donos pecon, kiun mi trempis en la plado".

그러나 예수는 계속해서 아픈 사람들을 치료하고 선한 일을 행하면서 예루살렘 성에 아주 가깝지만, 그 성문 밖에 있는 베다니로 가서 머물렀지.

그곳에서 지내던 어느 날, 그분은 제자들과 같이 앉아 저녁식사를 하던 중 자리에서 일어나 옷가지 하나와 물 한 동이를 갖고 그들의 발을 씻어주었단다. 제자 가운데 한 사람인 시몬 베드로는 그분이 자신의 발을 씻지 못 하도록 막으려 했어. 그러나 구세주는 그에게 자신이 이렇게 하는 것은 그들이 이를 기억하여 언제나 서로에게 친절하고 너그러워야 하며, 오만함이나 악의를 갖지 말도록 하기 위해서라고 말해주었지.

그분은 슬픔과 비탄에 잠겨 제자들을 둘러보더니 말을 했단다.

"이 가운데 나를 배반할 사람이 하나 있느니라."

이에 그들은 한마디씩 외쳐댔어.

"그것이 저입니까, 주여?"

"그것이 저입니까?"

하지만 그분은 이렇게 대답할 뿐이었지.

"열둘 가운데 나와 함께 그릇에 손을 넣는 사람이니라."

제자들 가운데 예수가 가장 사랑했던 사람이었으며, 말씀을 들을 때 우연히 그분 가슴에 기대어있던 시몬 베드로는 손짓으로 이 부정한 사람이 누구인지 물었단다. 예수가 대답했어.

"그는 내가 빵 조각을 그릇에 손을 넣었다가 주는 사람이다."

Kaj kiam li trempis ĝin, li donis ĝin al Judas Iskariota, dirante "Kion vi faras, tion faru senprokraste". La aliaj disĉiploj ne komprenis tiun diron; sed Judas sciis el tio, ke Kristo legis liajn malbonajn pensojn.

Do Judas, ricevinte la pecon, eliris tuj. Estis nokto, kaj li iris rekte al la ĉefpastroj kaj diris "Kion vi donos al mi, se mi transdonos lin al vi?". Ili konsentis doni al li tridek arĝentajn monerojn; kaj por tio li promesis, ke li baldaŭ perfidos sian Sinjoron kaj Majstron Jesuon Kriston en iliajn manojn.

이어 그분은 빵 조각을 그릇에 손을 넣었다가 가롯 유다에게 주며 말했어.

"그대가 하려던 것을 어서 행하라."

다른 제자들은 그것이 무엇을 의미하는지 몰랐지만 유다는 그리스도가 자신의 나쁜 생각을 읽었음을 거기서 알았단다.

유다는 빵 조각을 집어들고 곧장 밖으로 나갔지. 때는 밤이었어. 그는 곧바로 대제사장에게 가서 말했단다.

"내가 그분을 당신에게 넘겨준다면 당신은 나에게 무엇으로 보답하겠습니까?"

그들은 그에게 은 30개를 주기로 했어. 이것을 받고 그는 자신의 주님이자 주인인 예수 그리스도를 배반하여 그들 손에 넘겨주는 일을 하고 말았단다.

LA NAŬA ĈAPITRO

NUN preskaŭ venis la Paska Festo. Jesuo diris al du el siaj disĉiploj, Petro kaj Johano: "Iru en Jerusalemon, kaj tie vin renkontos viro, portanta kruĉon da akvo. Sekvu lin al lia domo, kaj diru al li 'La Majstro diras "Kie estas la gastoĉambro, en kiu mi manĝos la Paskon kun miaj disciploj?" kaj li montros al vi grandan supran ĉambron, aranĝitan. "Tie pretigu la manĝon".

La du disĉiploj trovis ĉion, ĝuste kiel Jesuo diris. Ili renkontis la viron kun la kruĉo da akvo, kaj sekvis lin al la domo; kaj kiam oni montris al ili la ĉambron, ili pretigis la vespermanĝon; kaj Jesuo kaj la aliaj dek Apostoloj alvenis je la kutima horo, kaj ĉiuj sidiĝis por ĝin manĝi kune.

Oni ĉiam nomas tion La Lasta Vespermanĝo, ĉar tiu estis la lasta fojo, kiam nia Savanto manĝis kaj trinkis kun siaj disĉiploj.

Kaj li prenis de la tablo panon, kaj, beninte, dispecigis ĝin, kaj donis al ili; kaj li prenis la tason da vino, kaj, doninte dankon, donis ĝin al ili, dirante "Ĉi tion faru, por memorigo pri mi".

제9장 주의 만찬

유월절이 가까워졌을 때 예수께서 제자들 가운데 베드로와 요한에게 말했단다.

"예루살렘 성안으로 들어가면 물동이를 들고 가는 한 남자를 만날 것이다. 그 사람이 들어가는 집으로 따라가 '주께서 유월절에 제자들과 함께 먹을 수 있는 손님방이 어딘지 물어보라 하셨습니다' 하고 말하라.

그러면 그 사람은 너희에게 큰 다락방을 보여줄 것인데, 그곳에는 만찬이 준비되어 있을 것이다."

예수께서 말한 대로, 두 제자는 물동이를 들고 가는 남자를 만났고 그 사람이 들어가는 집으로 따라가자 방을 보여주었는데 만찬이 준비되어 있었던 거야. 정해진 시간이 되자 예수와 나머지 열 명의 제자들이 도착했고, 만찬에 참석한 모든 사람들이 앉았어.

이 만찬을 보통 '최후의 만찬'이라고 한단다.

구세주께서 열두 명의 제자들과 함께 먹고 마신 마지막 저녁 식사였기 때문이란다.

그분은 식탁에 있는 빵을 들고 축복을 내리고는 빵을 뜯어 제자들에게 주었어.

그런 다음 포도주 한잔을 들고 하나님께 감사하고는, 제자들에게 주면서 '나를 기념하기 위하여 이렇게 하라'고 말했지.

Kaj kiam ili finis la vespermanĝon, kaj kantis himnon, ili foriris al la monto Olivarba.

Tie Jesuo diris al ili, ke oni ekkaptos lin tiunokte, kaj ke ili ĉiuj forlasos lin kaj pensos nur pro sia propra sendanĝereco. Petro diris, fervore, ke li mem neniam faros tion. "Antaŭ ol krios koko," respondis Nia Savanto "vi malkonfesos min trifoje".

Sed Petro insiste diris: "Ne, Sinjoro. Eĉ se mi devos morti kun vi, mi neniam malkonfesos vin!". Kaj tiel same diris ili ĉiuj.

JESUO tiam kondukis ilin trans torenton kun la nomo Kidron en ĝardenon nomitan Getsemane; kaj li iris kun tri el la disĉiploj en solecan parton de la ĝardeno. Tiam li lasis ilin kune, kiel li jam lasis la aliajn, dirante "Restu ĉi tie, kaj viglu!", kaj foriris, kaj preĝis tute sola, dum ili, estante lacaj, ekdormis.

Kaj dum Kristo preĝis en tiu ĝardeno, li suferis grandan malĝojon kaj mensan doloron pro la pekeco de la Jerusalemanoj kiuj estis mortigontaj lin; kaj li verŝis larmojn antaŭ Dio, kaj estis en aflikto forta kaj profunda.

식사를 마치고 난 후 그들은 찬송가를 부르고 감람산으로 갔어.

그곳에서 예수께서는 제자들에게 말씀하셨단다. 밤이 되면 붙잡히게 될 텐데, 제자들이 모두 그분을 버리게 될 거라고 말이다. 또한 제자들이 자기 안전만을 생각할 거라고 하셨지. 베드로가 자신만은 절대 그러지 않을 것이라고 자신있게 말했어.

하지만 구세주는 이렇게 말했지.

"닭이 울기 전에 너는 나를 세 번 부인하게 될 것이다."

그러자 베드로가 대꾸했단다.

"아닙니다. 주여, 제가 주와 함께 죽는 한이 있어도 주를 절대 부인하지 않을 것입니다."

다른 제자들도 모두 똑같이 말했어.

예수께서는 제자들을 이끌고 기드론 냇가를 지나 겟세마네라고 부르는 동산으로 갔지. 그리고는 세 명의 제자를 데리고 동산의 구석진 곳으로 갔단다. 이어 다시 다른 제자들과 마찬가지로 그 세 명의 제자도 따라오지 못하게 하고는 이렇게 말했어.

"여기서 기도하며 깨어 있어라!"

그런데 예수께서 홀로 떨어져서 기도하는 동안 그들은 지쳐서 쓰러져 잠자고 말았단다.

동산에서 기도하는 그리스도의 마음은 몹시 슬프고 고통스러웠어. 왜냐하면 예루살렘의 나쁜 사람들이 그분을 죽이려고 하기 때문이었지. 하나님 앞에서 눈물을 흘린 그분은 깊고 강한 고통을 느꼈단다.

Kiam liaj preĝoj finiĝis, kaj li ricevis konsolon, li revenis al la disĉiploj kaj diris "Leviĝu! Ni iru! Jen mia perfidanto proksimiĝas!"

Nu, Judas konis tiun ĝardenon bone, ĉar nia Savanto ofte promenis tie kun siaj disĉiploj; kaj preskaŭ en la momento, en kiu nia Savanto diris tiujn vortojn, li alvenis kun forta gvardio el soldatoj kaj oficistoj sendita de la ĉefpastroj kaj la Fariseoj. Ĉar estis mallume, ili portis lanternojn kaj torĉojn. Krom tio, ili estis armitaj per glavoj kaj bastonoj; ĉar ili pensis, ke eble la popolamaso leviĝos kaj defendos Jesuon Kriston; tial ili timis kapti lin kuraĝe en la tago, dum li sidis kaj instruis la popolon.

Pro tio, ke la gvardiestro neniam vidis Jesuon Kriston, kaj ne povis distingi lin inter la disĉiploj, Judas jam antaŭe aranĝis kun li, dirante "Kiun mi kisos, tiu estos li". Dum li iris antaŭen, por doni tiun pekan kison, Jesuo demandis al la soldatoj "Kiun vi serĉas?" "Jesuon Nazaretan" ili respondis. "Nu!" diris nia Savanto "Mi estas tiu. Permesu al miaj disĉiploj ĉi tie, ke ili foriru libere. Mi estas tiu, kiun vi serĉas". Judas tion konfirmis, dirante "Saluton, Majstro!" kaj kisis lin.

기도를 마치고 나서 위로를 얻은 그분은 걸음을 옮겨 제자들에게 돌아와 이렇게 말했단다.

"일어나라! 함께 가자! 나를 배반한 사람이 가까이왔다!"

한편 유다는 그 동산을 잘 알고 있었어. 구세주가 열두 제자와 함께 자주 거닐던 곳이었기 때문이지. 구세주가 말한 바로 그때 유다는 대제사장들과 바리새인들이 보낸 힘센 사람들과 군관들의 한 무리를 이끌고 그곳으로 왔던거야. 날이 어두워 그들은 횃불과 등불을 들고 있었어. 또 그들은 제자들이 예수 그리스도를 보호하려고 반항할지도 모른다고 생각했으므로 칼과 몽둥이로 무장했지.

그리고 그들은 그분이 앉아서 제자들을 가르친 낮에 대담하게 그분을 체포하는 것이 두려웠단다.

이 무리의 지도자가 예수 그리스도를 한 번도 본적이 없어서 제자와 함께 있는 그분을 알아보지 못하자 유다가 말했어.

"내가 입맞춤을 하는 사람이 그 사람입니다."

유다가 이 못된 입맞춤을 하려고 다가서자 예수께서 무리에게 말했지.

"누구를 찾으시오?"

그들이 대답했단다.

"나사렛 예수요!"

그러자 구세주가 말했어. "그렇다면 내가 그 사람이오. 나의 제자들은 자유롭게 가도록 놔두시오. 내가 여러분이 찾는 그 사람이오."

유다가 확신을 주기 위해 "안녕하십니까, 랍비여!" 인사하면서 그분에게 입맞춤했지.

Je tio Jesuo diris "Judas, vi perfidas min per kiso!"

La soldatoj tiam kuris antaŭen, por lin kapti. Neniu sin movis por protekti lin, krom Petro, kiu, havante glavon, eltiris ĝin, kaj detranĉis la dekstran orelon de la servanto de la Ĉefpastro; tiu servanto estis inter la amaso, kaj lia nomo estis Malĥo. Sed Jesuo ordonis, ke Petro remetu la glavon en ĝian ingon ; kaj li sin fordonis al ili. Tiam ĉiuj disĉiploj forlasis lin, kaj forkuris; kaj restis ne unu - eĉ ne unu - ĉe lia flanko.

이에 예수께서 말씀하셨단다.

"유다야, 입맞춤으로 나를 파느냐!"

군관들이 그분을 붙잡으려고 앞으로 달려나왔지. 아무도 그를 보호하려 나서지 않았는데, 칼을 갖고 있던 베드로가 칼을 빼들고 무리 중에서 말고라는 대제사장의 하인의 오른쪽 귀를 잘라버렸어. 하지만 예수께서 칼을 칼집에 넣으라고 베드로에게 말하고 순순히 그들에게 자신을 바쳤단다. 그러자 제자들은 그를 저버리고 달아났고, 그분 옆에는 단한 사람도 남지 않았어.

LA DEKA ĈAPITRO

POST mallonga tempo Petro kaj alia disĉiplo regajnis kuraĝon, kaj sekrete sekvis la gvardion al la domo de Kajafas la Ĉefpastro, kien oni prenis Jesuon. Tie kolektiĝis la skribistoj kaj aliaj, por fari al li demandojn. Petro staris ĉe la pordo; sed la alia disĉiplo, kiu estis konata de la ĉefpastro, eniris, kaj poste, reveninte, petis al la virino gardanta la pordon, ke ŝi enlasu Petron ankaŭ. Rigardante Petron, ŝi diris : "Ĉu vi ne estas ankaŭ el la disĉiploj de tiu homo?" Li diris "Mi ne estas". Do ŝi enlasis lin, kaj li staris tie apud fajro, kaj varmigis sin inter la servantoj kaj oficiroj kiuj amasiĝis ĉirkaŭ ĝi – ĉar estis tre malvarme.

Kelkaj el tiuj homoj faris al li la saman demandon, kiun faris la virino, kaj diris: "Ĉu vi ne estas unu el liaj disĉiploj?". Li ree neis tion, kaj diris "Mi ne estas" Unu el ili, kiu estis parenco de tiu, kies orelon Petro detranĉis per sia glavo, diris "Ĉu mi ne vidis vin kun li en la ĝardeno?". Petro ree neis ĝin per ĵuro, kaj diris "Mi ne konas tiun homon". Tuj la koko kriis; kaj Jesuo sin turnis, kaj rigardis al Petro.

제10장 부인하는 베드로

잠시 후 베드로와 다른 제자 한 명이 용기를 내 예수를 끌고 가는 무리를 쫓아 대제사장 가야바의 집으로 따라갔어. 그곳에는 서기관들과 다른 사람들이 그분을 심문하기 위해 모여 있었지. 베드로는 문 앞에 섰지만, 다른 제자는 대제사장과 아는 사이라 들어갈 수가 있었단다. 그 사람은 금방 돌아와서는 문을 지키는 여자에게 베드로도 들어갈 수 있도록 해달라고 부탁했어. 여자가 베드로를 쳐다보며 물었지.

"제자 중 한사람이 아닙니까?"

베드로가 "나는 아니오." 대답한 거야.

여자가 그를 들여보내자 그는 불을 쬐기 위해 하인들과 일꾼들이 모여 있는 모닥불 가로 가서 그들 틈에 섰단다. 너무 추웠기 때문이었지.

모여 있는 사람들 가운데 어떤 사람이 문을 지키고 있던 여자와 똑같은 질문을 그에게 했어.

"당신은 제자 중 한 사람 아니오?"

이번에도 그는 "난 아니오." 하고 부인했단다.

사람들 중에는 베드로가 칼로 귀를 자른 사람의 친척이 있었어. 그 사람이 물었지.

"동산에 그 사람과 같이 있는 것을 내가 보지 않았소?" 베드로는 다시 한 번 부인하면서 맹세하듯 말했단다. "나는 그 사람을 알지 못하오."

그때 닭 울음소리가 들렸고, 예수께서 고개를 돌려 베드로를 지긋이 쳐다보았어.

Tiam Petro ekmemoris, ke Jesuo diris al li: "Antaŭ ol la koko krios, vi trifoje min malkonfesos". Kaj li eliris, kaj maldolĉe ploris.

INTER aliaj aferoj, la ĉefpastro demandis al Jesuo, kion li instruis al la popolo. Al tio Jesuo respondis, ke li instruis ilin malkaŝe kaj publike; la pastroj do demandu al la aŭdintoj pri tio, kion ili lernis de li. Unu el la oficistoj frapis Jesuon per la manplato pro tiu respondo. Tiam venis du mensogaj atestantoj, kiuj diris, ke ili aŭdis lin diri, ke li povas detrui la Templon de Dio, kaj rekonstrui ĝin en tri tagoj. Jesuo malmulton respondis. Sed la skribistoj kaj la pastroj konsentis, ke li blasfemis, kaj estas kondamninda al morto; kaj ili kraĉis sur lin, kaj batis lin.

Kiam Judas Iskariota vidis, ke lia Majstro estas ja kondamnita, li tiel konsterniĝis pri tio, kion li faris, ke li reportis la tridek arĝentajn monerojn al la ĉefpastroj, dirante: "Mi perfidis senkulpan sangon! Mi ne povas konservi la monon!". Ĉe tio, li ĵetis la monon sur la plankon, kaj forkurinte, freneza de malespero, li sin pendigis.

그러자 베드로는 닭이 울기 전에 세 번 부인하게 될 거라는 그분의 말을 떠올리고 밖으로 뛰어나가 슬피 울었단다.

예수에게 질문하는 여러 사람들 가운데 대제사장이 그분에게 사람들에게 무엇을 가르쳤느냐고 물었어.

그분이 숨기지 않고 공개적으로 모든 사람들을 가르쳤으니 제사장들이 사람들에게 무엇을 배웠느냐고 물어 보라고 대답했지.

이 대답에 군관중 하나가 손바닥으로 예수를 때렸어.
두 사람의 거짓 증인이 나와 하나님의 성전을 헐고 다시 3일 만에 짓겠다고 말한 것을 들은 적이 있다고 말했단다. 예수께서는 대답을 하지 않았어.

하지만 서기관들과 대제사장들은 그분에게 신성 모독죄가 있다고 동의하면서 죽여야 한다고 입을 모았지. 그러고는 그분에게 침을 뱉고 때렸던 거야.

주님이 정말로 유죄 판결을 받게 되자 가룟 유다는 자신이 저지른 짓에 크나큰 공포를 느꼈어. 그는 은 30개를 대제사장에게 되돌려주면서 말했지.
"내가 무고한 피를 팔아넘겼습니다! 이것을 가질 수가 없습니다!"
그러면서 그는 바닥에 은을 내버리고 뛰쳐나가 너무나 절망스러운 나머지 목을 맸단다.

Lia korpo, estante peza, rompis la malfortan ŝnuron, kaj falis sur la teron post lia morto, tute kontuzita kaj krevinta - terura vidaĵo! La ĉefpastroj, nesciante kion alian fari per la tridek arĝentaj moneroj, aĉetis per ĝi kampon por la enterigo de fremduloj. La ĝusta nomo de la kampo estis La Kampo de la Potisto; sed la popolo ĉiam nomis ĝin de tiam La Kampo de Sango.

ONI prenis Jesuon de antaŭ la ĉefpastro al la Juĝejo, kie sidis Pontio Pilato la provincestro, por fari juĝadon. Pilato (kiu ne estis Judo) diris al li: "Via propra nacio, la Judoj, kaj viaj propraj pastroj, transdonis vin al mi. Kion vi faris?". Trovinte, ke li faris nenion malbonan, Pilato eliris kaj diris tion al la Judoj; sed ili diris: "Li instruadis al la popolo aferojn malverajn kaj malbonajn; kaj li komencis tion fari antaŭ longe, en Galileo". Pro tio, ke Herodo havis la aŭtoritaton puni tiujn, kiuj pekis kontraŭ la leĝoj en Galileo, Pilato diris : "Mi trovas en li nenian kulpon. Oni prenu lin antaŭ Herodon!".

Oni do prenis Jesuon antaŭ Herodon, kie li sidis, ĉirkaŭate de severaj soldatoj kaj viroj en armaĵo.

그런데 줄이 약해 그의 몸무게를 이기지 못하고 끊어지는 바람에 땅에 떨어져 몸에 상처가 나고 부러져 죽게 되었어. 보기에 얼마나 처참한 광경이겠냐!

대제사장은 은 30개를 어떻게 사용할지 몰라 그것으로 토기장이의 밭을 사서 나그네들의 묘지로 삼았단다.

그후에 사람들은 그 땅을 피밭이라고 불렀어.

대제사장들이 예수를 본디오 빌라도 총독이 있는 법정으로 데려갔지. 빌라도(이 사람은 유대인이 아니란다)가 그분에게 물었어.

"너의 나라와 유대인들과 제사장들이 나에게 너를넘겼다. 너는 무슨 짓을 했느냐?"

그분이 해로운 일을 전혀 하지 않았다는 것을 안 빌라도는 밖으로 나가 유대인들에게 그렇게 말했지만 사람들의 말은 달랐던 거야.

"그 사람은 오래 전 갈릴리에서부터 진실이 아닌 것을 사람들에게 가르치기 시작했습니다. 그것이 잘못입니다."

갈릴리의 법을 어기는 사람을 벌하는 것은 헤롯에게 권한이 있었어.

그래서 빌라도는 이렇게 말했지.

"나는 그에게서 죄를 찾지 못했다. 그를 헤롯 앞으로 데리고 가라!"

사람들이 그분을 헤롯 앞으로 끌고 가, 무기를 들고 있는 병사들과 사람들 가운데 앉혔단다.

Kaj ili ĉiuj priridis Jesuon, kaj moke lin vestis per bela robo, kaj resendis lin al Pilato. Kaj Pilato kunvokis la ĉefpastrojn kaj la popolon denove, kaj diris: "Nek mi, nek Herodo, trovis ian kulpon en ĉi tiu viro. Li ne faris ion indan de morto". Sed ili kriis: "Sed jes! Li faris! Jes! Jes! Li mortu!".

Pilato tre maltrankviliĝis mense, kiam li aŭdis ilin tiel brue krii kontraŭ Jesuo Kristo. Krom tio, lia edzino estis sonĝinta la tutan nokton pri la afero, kaj dum li sidis sur la tribunala seĝo ŝi sendis al li, dirante "Nenion faru kontraŭ tiu justulo!". Tial, ke estis kutime ĉe la Paska Festo liberigi unu malliberulon, Pilato penis instigi la homamason, ke ili petu la liberigon de Jesuo. Sed ili diris (estante tre malkleraj kaj pasiaj, kaj ordonite tion fari de la pastroj): "Ne, ne! Ne liberigu lin! Liberigu Barabason, kaj ĉi tiun oni krucumu!".

Barabaso estis peka rabisto, en malliberejo pro siaj krimoj, kaj en danĝero de la mortpuno. TROVINTE la homamason tiel forte decidintaj kontraŭ Jesuo, Pilato liveris lin al la soldatoj por esti skurĝita - tio estas, batita.

사람들이 예수를 보고 비웃고 조롱하며 멋진 예복을 입혀 다시 빌라도에게 보냈어. 빌라도는 제사장과 사람들을 다시 불러모은 다음 말했지.

"이 사람에게 잘못이 없다는 것을 난 안다. 헤롯도 그렇게 생각하고 있다. 이 사람은 죽을 만한 죄를 지은 적이 없어!"

하지만 사람들이 외쳤단다.
"그 사람은 죄를 지었어요. 맞아요! 맞습니다! 그 사람을 죽이시오!"
빌라도는 사람들이 예수를 죽이라고 아우성치자 마음에 갈등이 생겼어. 밤새 예수의 꿈에 시달렸던 빌라도의 아내가 빌라도에게 전갈을 보냈지.
'그 의로운 사람은 아무 짓도 하지 않았습니다!'

유월절에는 감옥에 갇힌 죄수를 풀어주는 풍습이 있었어. 그래서 빌라도는 사람들에게 예수를 풀어주는 것이 어떻겠느냐고 열심히 설득했단다. 하지만 그들은 (매우 무지하고 열정적이며 제사장들에게 지시를 받았기에) 외쳤어.
"안 돼요, 안 돼. 그 사람을 풀어주면 안 됩니다. 바라바를 풀어주시오. 그 사람을 십자가에 못박으시오!"
바라바는 범죄를 저질러 감옥에 갇힌 나쁜 죄인이었어. 그는 사형에 처해질 처지였지.
군중이 예수를 반대하기로 굳게 결심한 것을 보고 빌라도는 예수를 군인들에게 넘겨 채찍질, 즉 심하게 매질을 했단다.

Ili plektis kronon el dornoj, kaj metis ĝin sur lian kapon, kaj vestis lin per purpura mantelo, kaj kraĉis sur lin, kaj frapis lin per la manplatoj, kaj diris "Saluton, Reĝo de la Judoj!" - memorante, ke la homamaso nomis lin la Filo de David, kiam li eniris en Jerualemon.

Kaj multmaniere ili traktis lin kruele. Sed Jesuo suferis ĉion pacience, kaj nur diris: "Patro, pardonu ilin! ĉar ili ne scias, kion ili faras".

Ankoraŭ unu fojon Pilato venigis lin antaŭ la popolon, vestitan per la purpura mantelo, kaj kun krono el dornoj, kaj diris "Jen la homo!". Ili sovaĝe kriis "Krucumu lin! Krucumu lin!". Same faris la ĉefpastroj kaj la oficiroj. "Prenu lin, kaj vi mem krucumu lin," diris Pilato "ĉar mi trovas en li nenian kulpon".

Sed ili kriis: "Li nomis sin la Filo de Dio; kaj la puno por tio, laŭ la juda leĝo, estas morto. Kaj li nomis sin la Reĝo de la Judoj; kaj tio estas kontraŭ la romana leĝo, ĉar nia sola reĝo estas Cezaro, la roma imperiestro. Se vi liberigos lin, vi ne estos amiko de Cezaro. Krucumu lin! Krucumu lin!"

병사들은 가시관을 엮어 머리에 씌우고 자주색 옷을 입히고 침을 뱉고 손으로 때렸어. 그러고 나서 병사들은 소리쳤지.
"야, 유대의 왕이다!"

그분이 예루살렘으로 들어왔을 때 군중이 그분을 다윗의 자손이라고 불렀던 것을 기억해라. 사람들이 온갖 잔인한 방법으로 그분을 학대했지만 예수는 견뎌내면서이렇게 말했단다.
"아버지여 ! 사람들을 용서하소서! 이 사람들은 자신들이 저지른 일을 모릅니다!"

빌라도는 자색 옷을 입고 가시관을 쓴 예수를 다시 한 번 사람들 앞으로 데리고 와서 "이 사람이구나!" 하고 말했어. 사람들이 잔인하게 외쳐댔지.
"이 사람을 십자가에 못박으시오! 못박으시오!"
대제사장들과 서기관들도 똑같이 외쳤단다.
"그 사람을 데려 가서 너희들이 십자가에 못박으라." 고 빌라도는 말했어.
"잘못을 찾지 못했다."
하지만 사람들은 그가 스스로 하나님의 아들이라고 불렀다고 소리치면서 유대인의 법에 따라 죽이라고 말했지. 또한 유대의 왕이라고 그가 말한 것은 로마 제국에 시저 외에는 왕이 없으므로 로마법을 어긴 것이라고 말했지. 만약 그를 풀어주면 당신은 시저의 친구가 아닐테니 십자가에 못박으라, 십자가에 못박으라고 소리쳤단다.

Kiam Pilato vidis, ke li ne povas konvinki ilin, kiom ajn forte li penas, li prenis akvon, kaj lavante siajn manojn antaŭ la homamaso, li diris "Mi estas senkulpa pri la sango de tiu justulo". Tiam li transdonis Jesuon al ili, por esti krucumita; kaj kriante, kaj amasiĝante ĉirkaŭ li, kaj traktante lin kruele kaj insulte (dum li ankoraŭ preĝis al Dio pri ili), ili lin forprenis.

빌라도는 도저히 사람들을 설득시킬 수 없다는 것을 알아차리고는 물을 가져오라고 시켜 손을 씻으며 군중에게 말했어.

"나는 이 의로운 사람의 피에 대해 무죄다."

그러고는 십자가에 못박으려는 군중에게 그분을 넘겼지. 사람들은 그분을 에워싸고 아우성치면서, 잔인하게 박해를 가하면서 그분(하나님에게 여전히 그들을 위해 기도를 하고 있었다)을 멀리 데리고 갔단다.

LA DEK-UNUA ĈAPITRO

POR ke vi komprenu, kion la homamaso postulis, kriante "Krucumu lin!", mi devas diri al vi, ke en tiu tempo - tempo tre kruela (ni danku Dion kaj Jesuon Kriston, ke ĝi nun forpasis) - oni kutimis mortigi mortpunoton, najlante lin vivantan al granda ligna kruco starigita vertikale en la tero, kaj lasante lin tie, sen ŝirmo kontraŭ la suno kaj la vento, tage kaj nokte, ĝis li mortis pro doloro kaj soifo. Kutime li devis ankaŭ piediri al la ekzekutejo, portante samtempe la lignan krucpecon al kiu liaj manoj estis fiksotaj, por ke lia honto kaj sufero estu tiom pli granda.

Portante sian krucon surŝultre, kiel krimulo plej ordinara kaj plej peka, nia kara Savanto Jesuo Kristo, ĉirkaŭate de la persekutanta homamaso, eliris el Jerusalem al loko nomita en la hebrea lingvo Golgota: tio signifas "Loko de Kranio". Kaj veninte al monteto nomita Kalvario, oni martelis kruelajn najlojn tra liajn manojn kaj piedojn, kaj najlis lin sur la krucon, meze de du aliaj krucoj, sur ĉiu el kiuj agoniis ordinara rabisto surnajlita.

제11장 십자가를 지신 예수

군중이 "그를 십자가에 못 박으시오!" 라고 외치며 요구한 것을 이해할 수 있도록 그 당시에 - 매우 잔인한 시간(지금은 지나간 것을 하나님과 예수 그리스도께 감사합시다) - 그들은 사형을 선고받은 사람들을 죽였는데, 땅에 수직으로 세워진 커다란 나무 십자가에 그를 산 채로 못 박았고, 고통과 목마름으로 죽을 때까지 밤낮으로 태양과 바람을 피하지 못한 채 거기에 두었다는 이야기를 하려고 한다.

일반적으로 그는 또한 그의 수치와 고통이 훨씬 더 클 수 있도록 그의 손을 묶을 나무 십자가를 동시에 들고 처형 장소로 걸어 가야했지.

우리의 사랑하는 구주 예수 그리스도는 가장 평범하고 가장 죄 많은 범죄자처럼 어깨에 십자가를 지고 핍박하는 군중에 둘러싸여 예루살렘을 떠나 히브리어로 골고다라고 하는 곳으로 가셨어.

골고다는 '해골의 곳' 이라는 뜻이란다. 그곳은 갈보리 산이라고 부르는 언덕에 있었는데, 그곳까지 가자 사람들은 십자가에다 그분의 손과 발을 못박고 두 개의 다른 십자가 사이에 세웠단다. 양쪽의 다른 십자가에는 각기 평범한 강도가 한 명씩 매달려 고통스러워하고 있었지.

Super lia kapo oni metis la surskribon "JESUO NAZARETA, LA REĜO DE LA JUDOJ" - en tri lingvoj: hebrea, greka, kaj latina.

DUME, gardistaro el kvar soldatoj, sidante sur la tero, dividis liajn vestojn (kiujn ili forprenis) en kvar partojn inter si, kaj lotis pri lia tuniko, kies ĝi estu, kaj sidis tie, vetante kaj parolante, dum li suferis. Ili proponis al li vinagron por trinki, kun galo enmiksita, kaj vinon kun mirho; sed li ne trinkis. La pekaj preterpasantoj mokis lin, kaj diris "Se vi estas la Filo de Dio, deiru de la kruco". La ĉefpastro ankaŭ mokis lin, dirante "Li venis por savi pekulojn: li savu sin mem!". Ankaŭ unu el la rabistoj insultis lin dum la turmento, kaj diris "Se vi estas la Kristo, savu vin kaj nin". Sed la alia rabisto, kiu pentis, diris "Sinjoro! memoru min, kiam vi venos en vian regnon". Kaj Jesuo respondis "Hodiaŭ vi estos kun mi en Paradizo".
Neniu tie lin kompatis, krom unu disĉiplo kaj kvar virinoj. Dio benis tiujn virinojn pro iliaj koroj, amaj kaj lojalaj. Ili estis la patrino de Jesuo, la fratino de lia patrino, Maria la edzino de Kleopas, kaj Maria Magdalena kiu dufoje sekigis liajn piedojn per siaj haroj.

사람들은 그분의 머리 위쪽에 이렇게 썼단다.
'유대의 왕, 나사렛 예수'

그것도 히브리어, 그리스어, 라틴어, 세 가지 언어로 썼어. 그분이 고통을 받고 있는 동안 네 명의 병사들이 땅에 앉아 그분의 옷을 네 조각으로 나누고 제비뽑기를 하면서 떠들어댔다. 병사들은 쓸개즙과 포도주와 몰약을 섞어 만든 신 포도주를 그분에게 먹이려 했지만, 그분은 마시지 않았지. 그리고 그곳을 지나가던 죄 있는 사람들이 그분을 놀리면서 말했어.
"하나님의 아들이라면 십자가에서 내려오라."
대제사장들도 그분을 놀려댔단다.
"죄인을 구하러 왔다면서 자신도 한번 구해보시지!" 도둑들 중 한 명이 고통받고 있는 그분에게 욕을 하면서 말했어.
"그리스도라면 당신 자신과 우리를 구해보시지."
반면 죄를 뉘우친 다른 도둑은 이렇게 말했지.
"주여! 당신이 당신의 나라에 들어갈 때 나를 기억해주시오!"
그러자 예수께서 말해주었단다.
"오늘 네가 낙원에 나와 함께 있을 것이오."
그분을 걱정해주는 사람은 제자들 중 한 사람과 네 명의 여자 외에는 한 명도 없었어. 하나님은 진실함과 인정 있는 네 명의 여인에게 축복을 내렸단다!
그 네 명의 여인은 예수의 어머니, 이모, 글로바의 아내 마리아, 그리고 그분의 발을 머리카락으로 두 번이나 닦아준 막달라 마리아였지.

La disĉiplo estis tiu, kiun Jesuo amis - Johano, kiu kliniĝis al la brusto de Jesuo kaj demandis al li, kiu lin perfidos.

Kiam Jesuo vidis ilin starantajn ĉe la piedo de la kruco, li diris al sia patrino, ke post lia morto Johano estos ŝia filo, por ŝin konsoli; kaj de tiu horo Johano estis al ŝi kiel filo, kaj ŝin amis.

Je ĉirkaŭ la sesa horo profunda kaj terura mallumo kovris la tutan landon, kaj daŭris ĝis la naŭa; tiam Jesuo kriis per laŭta voĉo "Mia Dio! Mia Dio! Kial vi forlasis min?". La soldatoj, aŭdante lin, trempis spongon en vinagron, metis ĝin sur longan kanon, kaj levis ĝin al lia buŝo. Ricevinte tion, li diris "Estas finite!". Poste li diris "Patro! En viajn manojn mi transdonas mian spiriton" - kaj mortis.

Tiam okazis terura tertremo, kaj la granda muro de la Templo fendiĝis, kaj la rokoj diskrevis. La soldatoj gardantaj lian korpon, timigite de tiuj vidaĵoj, diris inter si "Vere ĉi tiu estis la Filo de Dio". Kaj la personoj rigardantaj la krucon de malproksime (inter kiuj estis multaj virinoj) frapis al si la bruston, kaj reiris hejmen kun timo kaj malĝojo.

그리고 제자는 예수께서 사랑한 요한이었단다. 예수님의 가슴에 엎드려 누가 배반할 것인지 물었지.예수는 그들이 십자가 밑에 서 있는 것을 보고 어머니에게 자신이 죽으면 요한이 어머니를 위로할 아들이 될 것이라고 말했어. 그 때부터 요한은 그분의 어머니에게 아들이 되어 사랑하며 섬겼단다.

여섯시가 되자 온 땅에 짙고 불길한 어둠이 내렸고, 그것은 아홉시까지 계속되었어. 아홉시가 되자 예수는 큰 소리로 외쳤지.
"나의 하나님, 나의 하나님. 왜 나를 버리십니까!"
그 소리를 들은 병사들은 신 포도주를 스펀지에 적신 다음 긴 갈대에 묶어 그분의 입에 갖다댔단다.

그러자 그분은 그것을 마시고 말했어.
"다 이루었다!"
그러고 나서 이렇게 소리치며 돌아가셨단다.
"아버지! 나의 영혼을 당신의 손에 부탁합니다!"

그때 무서운 지진이 일어나고, 성전의 거대한 벽이 갈라지고, 바위들이 쪼개졌지. 병사들이 이런 광경을 보고 두려워하면서 이구동성으로 말했어.
"이 사람은 정말 하나님의 아들이다!"

멀리서 십자가를 지켜보며 있던 사람들은 (수많은 여자들) 가슴을 치며 두렵고 슬퍼서 집으로 돌아갔단다.

Pro tio, ke la posta tago estos la sabato, la Judoj tre deziris, ke oni tuj forportu la korpojn, kaj ili petis Pilaton pri tio. Do soldatoj venis, kaj rompis la krurojn de la du rabistoj, por mortigi ilin; sed kiam ili venis al Jesuo, kaj vidis, ke li jam mortis, ili nur pikis lian flankon per lanco. El la vundo venis sango kaj akvo.

Estis bona viro nomita Jozef, el Arimateo-urbo de la Judoj. Li kredis je Kristo, kaj irinte al Pilato sekrete (pro timo antaŭ la Judoj), li petis, ke li havu la korpon; kaj Pilato tion permesis. Do Jozef kaj Nikodemo ĉirkaŭvindis la korpon per tolaĵo kaj aromaĵoj – estis kutime ĉe la Judoj pretigi korpojn por entombigo tiumaniere –, kaj metis ĝin en novan tombon elhakitan el ŝtonego en ĝardeno apud la loko de la krucumo, en kiun ankoraŭ neniu estis metita.

Ili tiam rulis grandan ŝtonon al la enirejo de la tombo, kaj foriris. Kaj Maria Magdalena kaj la alia Maria sidis tie, rigardantaj la tombon.

LA ĉefpastroj kaj la Fariseoj memoris, ke Jesuo Kristo diris al siaj disĉiploj, ke la trian tagon post sia morto li leviĝos el la tombo.

다음날은 안식일이라, 바로 시체를 내려야 한다고 바라던 유대인들이 빌라도에게 가서 그렇게 해달라고 요구했어.

몇 명의 병사들이 가서 죽었는지 확인하기 위해 두 강도의 다리를 부러뜨렸지. 하지만 예수께 다가가자 이미 돌아가신 것을 확인한 그들은 창으로 그분의 옆구리를 찔렀단다.

그러자 찌른 곳에서 피와 물이 함께 나왔지.

그리스도를 믿는 아리마대에 사는 요셉이라는 마음씨 착한 사람이 (유대인들을 두려워하여) 몰래 빌라도를 찾아가 시신을 달라고 애원했단다.

빌라도가 허락하자 그 사람과 니고데모라는 사람이 향유를 뿌리고 천으로 시신을 둘둘 말아 - 묻기 전에 시신을 이런 식으로 처리하는 것은 유대의 관습이란다 - 십자가에 못박힌 곳에서 가까운 동산에 아직 아무도 묻힌 적이 없는, 바위를 파낸 새 무덤 속에다 시신을 묻었지.

커다란 돌을 굴려 무덤 입구를 막고 떠났단다.

막달라 마리아와 다른 마리아가 그 곁에 앉아 지켜보고 있었지.

예수가 제자들에게 죽은 후 3일 만에 다시 부활할 것이라고 말한 것을 대제사장과 바리새인들은 기억했어.

Ili do iris al Pilato, kaj petis, ke oni bone gardu la tombon ĝis la tria tago, por ke la disĉiploj ne ŝtelu la korpon, kaj ne diru poste al la popolo, ke Kristo leviĝis el la mortintoj. Pilato konsentis al la peto, kaj oni metis gardistaron el soldatoj antaŭ la tombon, por observi ĝin konstante. Krom tio, oni sigelis la ŝtonon ĝis la tria tago (kiu estis la unua tago de la semajno).

Kiam venis tiu mateno, je frua tagiĝo, Maria Magdalena kaj la alia Maria kaj aliaj virinoj venis al la tombo kun pluaj aromaĵoj kiujn ili preparis. Dum ili demandis inter si "Kiel ni povos deruli la ŝtonon?", la tero tremis, kaj anĝelo, malsuprenirinte el la ĉielo. derulis la ŝtonon kaj tiam sidis sur ĝi. Lia aspekto estis kiel fulmo, kaj lia vestaĵo estis blanka kiel neĝo; kaj vidante lin, la gardistoj svenis de timo, kvazaŭ ili mortis.
KIAM Maria Magdalena vidis la ŝtonon prenita for de la tombo, ŝi ne atendis por vidi pluon, sed kuris al Petro kaj Johano, kiuj estis venantaj al la loko, kaj diris "Oni forprenis la Sinjoron, kaj ni ne scias, kien oni metis lin". Tuj ili kuris al la tombo; sed Johano kuris pli rapide ol Petro, kaj alvenis la unua.

그래서 빌라도에게 가서 삼일까지 그 무덤을 지켜달라고 간청했단다. 그 사람들은 제자들이 시신을 훔쳐갔다가 나중에 그리스도가 죽음에서 부활했다고 사람들에게 떠들어대는 것이 두려웠던 거야.

빌라도는 그들의 말에 동의하고, 즉시 파수꾼들을 보내 무덤을 막은 돌을 봉하게 하고 그곳에 있으면서 (주의 첫째날) 3일째 되는 날까지 지키라고 했어.

여명이 밝아오기 시작하는 새벽녘, 막달라 마리아와 다른 마리아와 또 다른 여자들이 향유를 더 준비하여 무덤으로 갔지. 그들이 서로 '우리가 돌을 치울 수 있을까? 하고 애기하고 있을 때, 땅이 진동하고 흔들리더니 하늘에서 한 천사가 내려와 돌을 굴리고는 돌 위에 앉았단다.

천사의 모습은 번개 같았고 옷은 눈처럼 희었어. 천사를 본 파수꾼들은 그를 보자 마치 죽은 듯이 기절하였지.

돌이 치워지자 막달라 마리아는 더 이상 아무것도 보지 않고 무덤 쪽을 향해 오고 있는 베드로와 요한에게 달려가 말했단다.
"사람들이 주를 데려갔나 봅니다. 사람들이 어디에다 그분을 두었는지 모르겠습니다."

그들은 즉시 무덤으로 달려갔지만 베드로보다 요한이 더 빨라 그가 맨 먼저 그곳에 도달했어.

Li kliniĝis kaj enrigardis, kaj vidis la tolaĵojn, en kiuj oni vindis la korpon, kuŝantaj tie; tamen li ne eniris. Kiam Petro alvenis, li eniris, kaj vidis la tolaĵojn kuŝantaj en unu loko, kaj la viŝtukon de sur la kapo en alia loko. Poste Johano eniris ankaŭ, kaj vidis la samajn aferojn. Tiam ili reiris hejmen, por diri tion al la ceteraj.

Sed Maria Magdalena restis ekster la tombo, plorante. Post kelka tempo ŝi kliniĝis kaj enrigardis, kaj vidis du anĝelojn en blankaj vestoj, sidantaj tie, kie la korpo de Jesuo antaŭe kuŝis. Ili diris al ŝi "Virino, kial vi ploras?". Ŝi respondis "Ĉar oni forprenis mian Sinjoron, kaj mi ne scias, kien oni metis lin".

Dirinte tion, ŝi sin turnis, kaj vidis Jesuon staranta malantaŭ ŝi, sed en la momento ŝi ne rekonis lin. "Virino!" li diris "Kial vi ploras? Kiun vi serĉas?". Ŝi, supozante, ke li estas la ĝardenisto, respondis: "Sinjoro! Se vi forportis lin, diru al mi, kien vi metis lin, kaj mi lin forprenos" Jesuo parolis ŝian nomon : "Maria". Tiam ŝi rekonis lin, kaj ekkriis "Majstro!",
"Ne tuŝu min," diris Kristo
"ĉar mi ankoraŭ ne supreniris al mia Patro.

그가 몸을 굽히고 무덤 안을 살펴보자 시신을 감쌌던 세마포만 놓여있었어. 그는 무덤 안으로 들어가지는 않았단다. 나중에 도착한 베드로가 무덤 안으로 들어가자 한 곳에 세마포가 놓여 있고, 또 다른 곳에 머리에 둘렀던 천이 놓여 있었지. 요한도 무덤 안으로 들어가자 같은 것을 볼수 있었어. 그런 다음 그들은 집으로 돌아가 나머지 제자들에게 이 사실을 알렸단다.

하지만 막달라 마리아는 밖에 남아 울고 있었어. 잠시 후 몸을 굽혀 안을 들여다보자 하얀 옷을 입은 두 명의 천사가 그리스도의 몸이 눕혀져 있던 곳에 앉아 있었지. 천사들이 그녀에게 물었단다.

"여인이여, 왜 우느냐?"

그녀가 대답했지.

"사람들이 주를 데려가서 그분을 어디에 두었는지 알지 못하기 때문입니다."

그렇게 말하면서 뒤를 돌아보자 예수께서 그녀 뒤에 서 있었던 거야. 하지만 그분을 알아채지 못했어. 그분이 물었지.

"여인이여, 왜 우느냐? 누굴 찾느냐?"

그분이 동산을 지키는 사람인 줄 알고 대답했단다.

"선생님, 나의 주를 데려갔거든 어디에 두었는지 말해주세요. 그러면 제가 그분을 데려갈 것입니다."

예수가 그녀의 이름을 불렀어.

"마리아야!"

그제야 그분을 알아본 그녀가 소리쳤지. "주여!"

예수께서 말씀하셨단다. "나를 만지지 말라. 아직 나는 아버지에게로 올라가지 않았다.

Sed iru al miaj disĉiploj, kaj diru al ili, ke mi supreniras al mia Patro kaj via Patro; kaj al mia Dio kaj via Dio".

Do Maria Magdalena iris kaj diris al la disĉiploj, ke ŝi vidis Kriston; kaj kion li diris al ŝi. Kun ili ŝi trovis la aliajn virinojn, kiujn ŝi lasis ĉe la tombo kiam ŝi iris por voki Petron kaj Johanon. La virinoj diris al ŝi kaj al la ceteraj, ke ili vidis ĉe la tombo du virojn en brilaj vestoj, kaj ke pro timo antaŭ la vidaĵo ili kliniĝis, sed ke la viroj diris al ili, ke la Sinjoro leviĝis; kaj ankaŭ, ke survoje, venante por tion rakonti, ili vidis Kriston, kaj tenis liajn piedojn, kaj adoris lin. Sed en la momento tiuj vortoj ŝajnis al la apostoloj nur babilado, kaj ili ne kredis al la virinoj.

Kiam la soldatoj-ĝardistoj resaniĝis de sia sveno, ili iris al la ĉefpastroj por rakonti al ili tion, kion ili vidis. La ĉefpastroj silentigis ilin per grandaj sumoj da mono, kaj ordonis, ke ili diru "Liaj disĉiploj forŝtelis lin, dum ni dormis".

OKAZIS, ke en tiu sama tago Simon kaj Kleopas - Simon, unu el la dek du Apostoloj, kaj Kleopas, unu el la sekvantoj de Kristo - piediris al vilaĝo nomata Emaus, iom malproksime de Jerusalem.

나의 제자들에게 가서 말하라. 내가 나의 아버지, 너의 아버지, 즉 나의 하나님이시며 너의 하나님에게로 올라갈 것이라고!"

그리하여 막달라 마리아는 제자들에게로 가서 그리스도를 본 것과 그분에게서 들었던 것을 전해주었단다.

그런 다음 그들과 함께 그녀는 베드로와 요한에게 뛰어가면서 무덤 앞에 내버려두었던 다른 여자들을 찾았어. 그 여인들은 그녀와 나머지 사람들에게 자신들이 보았던 이야기를 해주었지.

그들은 빛나는 옷을 입은 두 남자가 무덤 앞에 나타나 너무나 두려워 몸을 굽혔는데 천사들이 주가 부활했다고 그들에게 말했으며, 또한 그들은 이 사실을 알리러 오는 도중에 그리스도를 보았고, 그분의 발을 붙잡고 경배했다고 말했단다. 하지만 사도들은 이 이야기를 허튼 소리쯤으로 여기고 그들을 믿으려 하지 않았어.

파수꾼들 역시 기절했다가 원래대로 되돌아오자마자 자신들이 본 것을 말하기 위해 대제사장들에게로 갔지. 그러자 대제사장들은 그들에게 많은 돈을 주면서 본 것을 말하지 말고 대신 그들이 졸고 있는 동안 제자들이 시신을 훔쳐갔다고 말하라고 시켰단다.

같은 날 열두 사도 중 하나인 시몬과 예수를 따르던 글로바가 예루살렘에서 조금 떨어진 엠마오라는 마을을 향해 걸어갔어.

Survoje ili estis parolantaj inter si pri la morto kaj la releviĝo de Kristo, kiam aliĝis al ili tria persono, nekonata al ili, kiu klarigis al ili la Skribojn, kaj diris al ili multon pri Dio, tiel, ke ili miris pri lia scio. Kiam ili atingis la vilaĝon estis preskaŭ vespere; do ili petis la nekonaton, ke li restu kun ili, kaj li konsentis tion fari.

Kiam ĉiuj tri sidiĝis por la vespera manĝo, li prenis panon, kaj ĝin benis kaj dispecigis ĝin, ĝuste tiel, kiel faris Kristo ĉe la Lasta Vespermanĝo. Rigardante lin kun miro, ili vidis, ke lia vizaĝo aliiĝas antaŭ ili, kaj ke li estas Kristo mem; kaj dum ili rigardis, li fariĝis nevidebla por ili.

Senprokraste ili leviĝis kaj reiris al Jerusalem; kaj trovante la disĉiplojn kunvenintaj, rakontis al ili tion, kion ili vidis. Kaj dum ili estis parolantaj, subite Jesuo mem staris meze de ili, kaj diris "Paco al vi!". Vidante, ke ili multe timas, li montris al ili siajn manojn kaj piedojn, kaj invitis ilin, ke ili palpu lin; kaj por kuraĝigi ilin, kaj por doni al ili tempon por regajni trankvilecon, li manĝis antaŭ ili pecon de rostita fiŝo kaj mielon.

도중에 그리스도의 죽음과 부활에 대해 이야기를 나누고 있었지. 두 사람은 낯선 사람을 만났는데, 그 사람이 두 사람에게 성경을 설명하면서 하나님에 대해 많은 이야기를 들려주었단다.

그들은 그분의 지식에 대해 의아해했지. 그들이 마을에 도착했을 때 거의 밤이 되었어. 그들이 낯선 사람에게 자기들과 함께 머물 것을 요청하자 그러겠다고 말했단다.

세 사람이 저녁식사를 하기 위해 앉았을 때 그분이 빵을 꺼내어 축복을 내리고는 최후의 만찬에서 했던 대로 빵을 떼어 나누어주었어. 그분을 이상히 여기던 그들은 자신들 앞에서 그분의 얼굴이 변했다는 것을 알아차렸지.
그리스도였던 거야.
그들이 그분을 알아보자 그분은 사라졌단다.

그들은 즉시 일어나 예루살렘으로 되돌아가서 함께 모여 앉아 있는 사도들을 찾아가 자신들이 본 것을 말했어. 그들이 말하는 도중에 예수께서 갑자기 모인 사람들 가운데 나타나셨지. 그러고는 말했단다.
"평화가 있을지어다!"

이를 본 사람들은 너무나 놀라고 말았어. 그분은 자신의 손과 발을 보여주고는 만져보라고 말했지만, 사람들이 용기를 내지 않자 그분은 그들에게 용기를 낼 시간을 주시면서 사람들 앞에서 구운 생선 한 토막과 벌꿀을 드셨단다.

SED Tomaso (unu el la dek du Apostoloj) forestis, kiam tio okazis. Kiam la aliaj diris al li poste "Ni vidis la Sinjoron!", li respondis: "Se mi ne vidos en liaj manoj la truojn de la najloj, kaj se mi ne metos mian manon en lian flankon, mi ne kredos!".

Tiumomente, kvankam ĉiuj pordoj estis fermitaj, Jesuo denove aperis, staranta inter ili, kaj diris "Paco al vi!". Tiam li diris al Tomaso: "Etendu ĉi tien vian fingron kaj vidu miajn manojn; kaj etendu vian manon kaj metu ĝin en mian flankon; kaj ne estu nekredema, sed estu kredanta". Tomaso respondis al li, dirante "Mia Sinjoro kaj mia Dio!". Tiam Jesuo diris : "Tomaso! Ĉar vi vidis min, vi kredis. Feliĉaj estas tiuj, kiuj ne vidis, kaj tamen kredas".
POST tio Jesuo sin montris al kvincent el siaj sekvantoj samtempe. Kun aliaj el ili li restis kvardek tagojn, instruante ilin, kaj ordonante, ke ili iru en la mondon, por prediki lian evangelion kaj religion; ne atentante ion ajn, kion malbonuloj eble faros al ili. Kaj fine, kondukinte siajn disĉiplojn el Jerusalem ĝis apud Betania, li benis ilin, kaj supreniris en nubo en la ĉielon, kaj sidiĝis dekstre de Dio.

하지만 (열두 제자 중 하나인) 도마는 그때 그 자리에 없었어. 도마에게 다른 사도들이 주를 우리가 보았다!'라고 애기하자, 도마가 '주의 손에 난 못 자국을 보지 않고 옆구리에 손가락을 넣어보지 않고는 난 못 믿겠다!'라고 말했지. 그러자 모든 문들이 닫혀 있는데 사람들 가운데 예수께서 다시 나타나시며 '너희에게 평화가 있을지어다!'라고 말씀하셨어.

그러고는 도마에게 '네 손가락을 이리로 내밀어 나의 손을 만져보고, 또 나의 옆구리에 손을 넣어보아라. 믿음 없는 사람이 되지 말고 믿음을 가져라'하고 말씀하셨지.
도마는 그분에게 말했단다.
"나의 주이시며, 나의 하나님이시여!"
그러자 예수께서 말했어.
"도마야, 나를 보았기 때문에 믿는구나. 나를 보지 않고 믿는 사람들에게 축복이 있을 것이다."

그후 예수 그리스도는 그분을 따르는 5백 명의 사람들에게 일시에 나타나셨고, 40일 동안 함께 있으면서 그들을 가르치고 세상으로 나가 그분의 복음과 종교를 전파하라고 지시하셨단다. 그러면서 나쁜 사람이 그들에게 무슨 짓을 저지르더라도 받아들이라고 말씀하셨지.

그리고 마지막으로 사도들을 이끌고 예루살렘을 나가 베다니까지 데리고 가서 그들에게 축복을 내리셨어. 구름 속에서 하늘로 올라가더니 하나님 오른편에 그분은 앉으셨지.

Kaj dum ili rigardadis al la hela blua ĉielo, kien li suprenleviĝis, du anĝeloj blanke vestitaj aperis inter ili, kaj diris al ili, ke kiel ili vidis Kriston supreniranta en la ĉielon, tiel same li revenos unu tagon el la ĉielo, por juĝi la mondon.

KIAM ili ne vidis Kriston plu, la Apostoloj komencis instrui la popolon, kiel li ordonis al ili. Kaj elektinte novan Apostolon, Matiason, por anstataŭi la pekan Judason, ili iradis en ĉiujn landojn, instruante pri la vivo kaj morto de Kristo – pri lia krucumiĝo kaj releviĝo, kaj pri la lecionoj, kiujn li instruis –, kaj baptante en lia nomo. Kaj per la povo kiun li donis al ili, ili sanigis la malsanulojn, kaj donis vidon al la blinduloj, kaj parolon al la mutuloj, kaj aŭdon al la surduloj, same kiel faris li. Kaj kiam Petro estis metita en malliberejon, li estis liberigita noktomeze de anĝelo; kaj iam, pro liaj vortoj antaŭ Dio, viro nomita Ananias kaj lia edzino, Safira, kiuj mensogis, falis mortintaj sur la teron.

Kien ajn ili iris, oni persekutis kaj kruele traktis ilin. Unu viro nomata Saŭlo (kiu gardis la vestojn de kelkaj barbaraj personoj, dum ili ĵetis ŝtonojn kontraŭ Kristano nomita Stefano, ĝis li mortis) estis ĉiam aktiva, persekutante ilin.

제자들이 눈부시게 빛나는 파란 하늘을 쳐다보고 있는 동안 그분은 그곳으로 올라가시고, 하얀 옷을 입은 두 천사가 그들 가운데 나타나 그리스도가 하늘로 올라간 것을 그들이 본 것처럼 언젠가 이 세상을 심판하기 위해 다시 내려오실 것이라고 그들에게 말해주었단다.

그리스도를 더 이상 볼 수 없었을 때 그분이 그들에게 명령한 것처럼 사도들은 사람들을 가르치기 시작했어. 죄 많은 유다의 자리를 맛디아라는 새로운 사도를 뽑아서 채우고 사도들은 온 세상을 돌아다니며, 그리스도의 삶과 죽음을 사람들에게 전하고 그리스도의 이름으로 침례를 주었지.

그분이 십자가에 못박힌 것과 부활하신 것, 그리고 배웠던 가르침들을 전한 거야. 그분이 그들에게 준 능력으로 그분이 하신 대로 아픈 사람을 낫게 하고, 눈먼 사람을 눈뜨게 하고, 말 못하는 사람을 말하게 하고, 듣지 못하는 사람을 듣게 했단다.

베드로가 감옥에 갇혀 있을 때 한 천사가 어두운 밤에 나타나 그곳에서 나오게 하신 적이 있고, 또한 아나니아라는 사람과 그의 아내 삽비라는 하나님 앞에서 거짓말을 한 죄로 바닥에 쓰러져 죽었어.
그들은 어디를 가든 박해를 받고 잔인한 대우를 받았지. (스데반이라는 그리스도인을 죽을 때까지 돌을 던진 잔인한 사람들의 옷을 지킨) 사울이라는 사람은 항상 박해하는 데 적극적이었단다.

Sed poste Dio ŝanĝis la koron de Saŭlo; ĉar dum li vojaĝis al Damasko, por trovi la Kristanojn tie, kaj treni ilin al la malliberejo, ekbrilegis ĉirkaŭ li granda lumo el la ĉielo, kaj voĉo kriis "Saŭlo, Saŭlo, kial vi min persekutas?", kaj nevidebla mano forfrapis lin de lia ĉevalo antaŭ ĉiuj gardistoj kaj soldatoj rajdantaj kun li. Kiam ili levis lin, ili trovis, ke li estas blinda; kaj tia li restis tri tagojn, nek manĝante, nek trinkante; ĝis iu Kristano (sendita al li de anĝelo por tiu celo) redonis al li la vidpovon en la nomo de Jesuo Kristo.

Post tio li fariĝis Kristano, kaj predikis kaj instruis kaj kredis kun la Apostoloj, kaj multe laboradis.

Ili nomis sin Kristanoj pro nia Savanto Kristo, kaj ili portis krucon kiel insignon, pro tio, ke sur kruco li suferis morton. La religioj de la tiama mondo estis malveraj kaj kruelaj, kaj instigis homojn al perforto. En siaj preĝejoj oni mortigis bestojn, kaj eĉ homojn, kredante, ke la odoro de ties sango estas agrabla por la dioj – oni kredis, ke ekzistas multaj dioj; kaj oni faris multe da tre kruelaj kaj abomenaj ceremonioj.

하지만 하나님은 나중에 사울의 마음을 돌려놓으셨지. 그가 그리스도인을 찾아내어 감옥에 가두기 위해 다메섹으로 가던 중 하늘에서 거대한 빛이 내리비치더니 목소리가 들려왔단다.

"사울아, 사울아. 왜 나를 핍박하느냐!"

그때 보이지 않는 손이 말에서 그를 떨어뜨렸고, 말을 타고 있던 경비병들과 병사들이 모두 그 광경을 보았어. 그들이 그를 일으켜 세웠을 때 그는 눈이 멀어 있었지.

그는 사흘 동안 그렇게 지내면서 먹지도 마시지도 못 했어. 어느 그리스도인(그 목적을 위해 천사가 그에게 보낸 사람)이 예수 그리스도의 이름으로 그에게 시력을 돌려주기 전까지 말야.

그리스도인이 된 이후 그는 사도들과 함께 전도하고, 가르치고, 믿음을 주는 크나큰 봉사를 했단다.

구세주 그리스도로부터 그리스도인의 이름을 받은 그들은 그분이 십자가에서 죽임을 당하셨기 때문에 그들의 상징으로 십자가를 가지고 다녔단다.

세상의 많은 종교들은 거짓되고 악하고, 사람들이 폭력을 자행하게 했어. 사람들의 피의 냄새가 신들을 기쁘게 한다는 이유로 종교적인 장소에서 짐승을 죽이고, 심지어 사람까지 죽이기도 했지. 많은 신들이 존재한다고 믿었단다. 많은 잔인하고 혐오스러운 의식들이 널리 퍼져 있었어.

Sed malgraŭ ĉio ĉi, kaj kvankam la Kristana religio estis tiel vera kaj amplena kaj bona, tamen la pastroj de la malnovaj religioj persvadis la homamason fari ĉian eblan malbonon al la Kristanoj; kaj dum multaj jaroj oni ilin pendigis, senkapigis, bruligis, enterigis vivantaj, aŭ manĝigis de sovaĝaj bestoj en teatroj por la publika amuzo.

Sed nenio ilin silentigis aŭ timigis, ĉar ili sciis, ke se ili faros sian devon, ili iros al la ĉielo. Do miloj post miloj da Kristanoj leviĝis por instrui la popolon, kaj kiam ili estis kruele mortigitaj, pluaj Kristanoj sekvis ilin, ĝis tiu religio grade fariĝis la granda religio de la mondo.

MEMORU! Estas Kristane FARI BONON ĉiam - eĉ al tiu, kiu faras malbonon al ni. Estas Kristane ami nian najbaron kiel nin mem, kaj agi al aliaj tiel, kiel ni dezirus, ke ili agu al ni. Estas Kristane esti amema, kompatema, kaj pardonema; kaj samtempe teni tiujn kvalitojn senparade en la propra koro; kaj ne fanfaroni pri ili, aŭ pri niaj preĝoj, aŭ pri nia amo al Dio; sed ĉiam montri nian amon al li per humila penado agi bone ĉiel.

그리스도교가 진실되고, 친절하고, 선한 종교인데도 옛날 종교들의 성직자들은 오래도록 그리스도인들에게 고통을 줄수 있는 모든 행위를 사람들한테 시켰어. 그리고 오랜 세월 동안 그리스도인들은 교수형, 참수, 화형, 생매장을 당했고 사람들한테 즐거움을 주기 위한 목적으로 원형극장 같은 곳에서 맹수들에게 희생당했단다.

하지만 그 어떤 것도 그들의 입을 막을 수 없었고, 그들을 위협할 수 없었지. 그들은 자신의 임무를 행하면 천국으로 간다는 사실을 알고 있었기 때문이란다.

수많은 그리스도인이 생겨났으며, 그들은 사람들을 가르쳤고, 잔인하게 죽임을 당했어. 이 종교는 점차적으로 전 세계에서 가장 위대한 종교가 되기까지 또 다른 그리스도인에 의해 계속 전파되었지.

기억하거라! 항상 좋은 일을 하는 것이 그리스도인의 신앙이란다. 우리에게 나쁜 짓을 하는 사람에게도 좋은일을 해야 해. 그리스도인은 우리 자신만큼 이웃을 사랑해야 하고, 우리가 사람들에게서 받고자 하는 것처럼 모든 사람들에게 베풀어야 해. 그리스도인은 친절하고, 자비롭고, 용서하는 마음을 가져야 하고 이러한 것을 마음속에 조용히 간직하고 있어야 해. 그리고 그리스도인들을 자랑하거나 우리의 기도와 우리 하나님의 사랑을 뽐내서는 안 되지. 항상 우리가 겸손하게 모든 일에서 올바른 일을 하려고 노력하는 것이 바로 주를 사랑하는 길이란다.

Se ni tion faros kaj memoros la vivon kaj la lecionojn de nia Sinjoro Jesuo Kristo, kaj penados konformigi nian vivon al ili, tiam ni povos konfide esperi, ke Dio pardonos. niajn pekojn kaj erarojn, kaj donos al ni, ke ni vivu kaj mortu en paco.

FINO

우리 주 예수 그리스도의 생애와 가르침을 기억하면서 우리가 이렇게 사람들에게 처신한다면, 하나님께서 우리의 죄와 잘못을 용서해주시고 평화롭게 살다가 죽을 수 있도록 해주실 거라는 우리의 소망은 반드시 이루어질 거야.

끝.

에스페란토 번역자 소개

곤대규 비틀리 (Montagu C. Butler)

영국의 학자, 사서, 사전 편찬자, 음악가, 에스페란티스트. 런 년 왕립 음악원에서 여러 상을 수상한 그는 하프 연주자이자 다양한 악기 연주에 능숙한 다재다능한 음악 교사이자 성악 및 작곡 교사다. 퀘이커 교도이자 절대적인 평화주의자인 버 틀러는 제1차 세계 대전 중에 양심적 병역 거부자로 분류되 었다. 감옥에서 시간을 보냈고 그곳에서 작곡가이자 동료 수 감자인 Frank Merrick을 만나 에스페란토를 배우는 데 도 움을 받았다.

1916년부터 1934년까지 그는 영국 에스페란토 협회의 총무 를 역임했으며 1961년부터 1970년까지 명예 회장을 역임했 다. 나중에 국제 에스페란토 아카데미의 회원으로 선출되어 1948년부터 1970년까지 그곳에서 봉사했다.
출생: 1884년 1월 25일, 영국 런던
사망: 1970년 5월 5일

그의 책 Step by Step in Esperanto 는 수십 년 동안 에 스페란토를 배우는 영어 사용자에게 가장 자주 사용되는 교 과서로 남아 있다. Esperanto-USA 에서 발행한 9번째 재판 이 1991년에 나타났다.

수년 동안 그는 런던의 BEA 도서관 사서로 일했으며, 세계 에서 가장 잘 갖춰져 있는 에스페란토 도서관 중 하나다.
버틀러의 역 영어-에스페란토 사전은 약 32,000개의 표제어로 되어 있으며, 버틀러 도서관에 보관된 2,000페이지 분량의 미공개 원고로 남아 있다.

Dickens, Charles : La Vivo de nia Sinjoro Jesuo: Verkita de Charles Dickens Speciale Por Siaj Infanoj "우리 주 예수의 삶, Charles Dickens가 특별히 그의 자녀들을 위해 씀"(1934)

우리말 번역자 소개
오태영은 1966년 전남 장흥 출생으로
서울 영동고를 졸업하고
한양대 건축학과, 한국방송통신대 법학과, 서울시립대학교
도시행정대학원(부동산전공)에서 공부하였으며,
서울시청을 비롯하여 구청, 주민센터에서 30여 년의 공직
생활을 명예퇴직하고
제2의 인생을 시인, 작가, 번역가, 진달래 출판사 및 진달래
하우스 대표로
4자녀와 함께 즐겁고 기쁘게 살고 있다.